JOHN BAILEY
LA PÊCHE
EN EAU DOUCE

John Bailey
La Pêche
en eau douce

Adaptation française
Nicolas Béroud

GRÜND

UN LIVRE DORLING KINDERSLEY

Garantie de l'éditeur

Malgré tous les soins apportés à sa fabrication, il est
malheureusement possible que cet ouvrage comporte
un défaut d'impression ou de façonnage. Dans ce cas,
il vous sera échangé sans frais. Veuillez à cet effet
le rapporter au libraire qui vous l'a vendu ou nous
écrire à l'adresse ci-dessous en nous précisant la nature
du défaut constaté. Dans l'un ou l'autre cas,
il sera immédiatement fait droit à votre réclamation.
Éditions Gründ – 60, rue Mazarine – 75006 Paris

Note relative aux photos subaquatiques

Nous tenons à remercier Kevin Cullimore, dont un
grand nombre de photos subaquatiques, y compris
celles de poissons approchant ou mordant l'appât
ou de poissons relâchés, illustrent cet ouvrage.

Note relative aux poissons

L'auteur et les éditeurs sont heureux de certifier
qu'aucun poisson n'a été tué ou blessé du fait
de la rédaction, de l'illustration et de la
fabrication de ce livre.

Note relative aux poissons
« trophée » et « record »

Les records indiqués sont donnés à titre indicatif
et peuvent varier en fonction des nouveaux records
établis. Un « trophée » indique un poids dont
un pêcheur peut être fier ou qu'il peut considérer
comme un objectif à atteindre.

Adaptation française : Nicolas Béroud
Révision pour le Canada : Françoise Tchou
et Michel Brin d'Amour
Relecture : Sylvie Garrec et Françoise Massonnaud
Secrétariat d'édition : Ivana Losco
PAO : Bernard Rousselot

Première édition française par Éditions Gründ, Paris
© 1999 Éditions Gründ pour l'édition française
ISBN : 2-7000-5950-6
Dépôt légal : septembre 1999
Édition originale 1998
par Dorling Kindersley Limited, Londres
sous le titre *Freshwater Fishing*
© 1998 Dorling Kindersley Limited, Londres
© John Bailey pour le texte anglais

Imprimé à Hongkong

SOMMAIRE

Avant-Propos

JE SUIS PÊCHEUR DEPUIS TOUJOURS et, pas un instant, je ne l'ai regretté… Qu'il fasse froid, humide, ou que je rentre bredouille, jamais je n'ai eu envie de faire autre chose.

J'ai eu de la chance. Ma canne à pêche m'a conduit dans les endroits les plus magiques de la terre : j'ai pêché dans l'Himalaya, les montagnes Rocheuses, les Alpes néo-zélandaises, le delta de la Volga, la sauvage Mongolie, les luxuriantes vallées d'Europe et tant d'autres endroits secrets que je n'aurais sans doute jamais visités si je n'avais pas été pêcheur.

Des éléphants ont traversé mon campement en pleine nuit, frôlant la toile de ma tente. Des panthères m'ont observé et j'ai fait feuler un tigre. Des crocodiles ont volé des poissons au bout de ma ligne et un ours noir a vidé mon sac pendant que je pêchais la truite steelhead. J'ai eu le bonheur de devenir l'ami des plus grands pêcheurs à travers le monde. Entre autres, le Danois Johnny Jensen, l'Australien Simon Channing et le Gallois Pete Smith. J'ai appris à ressentir la façon magique qu'ont les rivières de chanter pour vous, comme à pénétrer le mystère des eaux dormantes qui vous entraînent à consacrer toute votre vie à arpenter leurs berges. Mais c'est bien le poisson, avant tout, qui gouverne la vie du pêcheur, et chaque espèce a son charme.

Bien que je pêche depuis plus de quarante ans, je n'ai à ce jour réalisé que le dixième de mes rêves d'enfant. Alors, tout comme j'ai appris à me servir d'une canne à pêche presque en même temps qu'à marcher, je continuerai à lancer ma mouche, mon leurre ou mon appât jusqu'à mon dernier souffle !

LA VIE
DES POISSONS

La façon de vivre des poissons est absolument fascinante, et même si nous connaissons beaucoup de choses à leur propos, bien des aspects de leur monde, à des degrés divers, nous sont encore inconnus. Néanmoins, en tant que pêcheurs, nous devons nous informer du mieux possible. Si vous considérez les poissons comme des objets et non comme des créatures complexes, vous n'en prendrez pas beaucoup : le pêcheur est un chasseur, et ce qu'il sait sur sa proie conditionne, en grande partie, son succès. Plus nous apprenons comment vivent les poissons, plus ils nous émerveillent et plus nous réalisons à quel point ils méritent attention : c'est le respect qu'il lui porte qui fait progresser le pêcheur.

TRANCHE DE VIE

Vision d'une véritable forêt subaquatique au printemps. Un brochet en maraude sort lentement de son repaire de branchages et observe, d'un œil froid et calculateur, le passage d'un banc de petits poissons.

LEVONS LE VOILE

LA SURFACE D'UNE RIVIÈRE, d'un lac ou d'un ruisseau est comme un voile qui nous dissimule, à nous qui sommes sur la berge, le mystérieux monde aquatique qui vit en dessous et que nous aspirons à comprendre. La pratique de la pêche lève en partie ce voile en nous faisant mieux connaître les poissons, l'eau elle-même, ainsi que tous les petits détails de la vie étrange qui hante ce milieu.

LE MATÉRIEL, LES MONTAGES ET LES APPÂTS sont importants pour la pêche, mais ils sont secondaires au regard de la connaissance des poissons. Où ces derniers se trouvent-ils ? Que signifie le langage de leur corps ? Comment, quoi et quand un poisson mange-t-il ? Tel est le genre de questions que tout bon pêcheur se pose chaque fois qu'il est au bord de l'eau.

COMMENT OBSERVER LES POISSONS

Pour attraper un poisson, il faut d'abord le comprendre et cela passe le plus souvent par l'observation, qui permet de se faire une idée précise sur son habitat, ses craintes et ses caprices. Pour y parvenir, il faut déjà pouvoir le voir ! Des lunettes à verres polarisants sont indispensables afin d'éviter les reflets du soleil en surface. Des jumelles sont également nécessaires. Même si un poisson n'est qu'à quelques mètres, elles vous permettront de mieux l'identifier et, éventuellement, de voir de quoi il se nourrit. De bonnes bottes ou, mieux, des waders sont très utiles lorsqu'il faut entrer dans l'eau. Choisissez des vêtements de couleur neutre : n'oubliez jamais que les poissons sont des animaux sauvages et qu'ils considèrent l'être humain comme leur principal prédateur.

Ne vous inquiétez pas si, lors de votre première tentative, vous n'arrivez pas à localiser le moindre poisson. L'observation est un art difficile. Il faut se détendre et se laisser aller au rythme de l'eau. Au début, vous n'apercevrez sûrement que quelques ombres furtives. Concentrez-vous sur elles. Petit à petit, elles se feront plus nettes.

Plus vous apprendrez de choses sur les poissons en les observant, plus vous vous sentirez capable de les capturer. Par exemple, vous allez rapidement comprendre le trajet d'une truite arc-en-ciel lorsqu'elle recherche de la nourriture, ce qui vous donnera l'avantage décisif de savoir déposer votre mouche exactement là où il faut. De même, vous pouvez découvrir où et quand un black-bass vient se gaver de vers, chasser des alevins ou gober des insectes aquatiques en train d'éclore : vous saurez alors quel appât utiliser selon le poste.

Plus vous observerez les poissons et mieux vous comprendrez l'eau elle-même. Bientôt, vous saurez comment les courants se déplacent sur le fond ou en présence d'obstacles. Vous commencerez également à mieux interpréter les complexes influences du vent sur l'eau. En lac, regardez les oiseaux. Un cygne en train de se nourrir d'herbes en plein hiver révèle qu'il reste, malgré la saison, un peu de végétation subaquatique. Celle-ci peut constituer un refuge pour le fretin, lequel ne manquera pas d'attirer quelques brochets. Si un grèbe plonge régulièrement à un endroit précis, c'est qu'il y a des alevins, et donc de grandes chances pour que des sandres, des perches ou des black-bass rôdent par là.

SA MAJESTÉ LE POISSON

Pour les mauvais pêcheurs, les poissons ne sont que des objets, voire des jouets, avec lesquels on s'amuse de temps en temps. Mais pour celui qui les observe et essaie de les comprendre, les poissons ont quelque chose de majestueux. Une fois que le voile a été levé, ils se révèlent des êtres sauvages complexes, au comportement en perpétuelle évolution, et qui conserveront toujours une part de mystère. Leur beauté n'est jamais si éclatante que lorsqu'ils évoluent dans l'eau : mis au sec, ils peuvent, certes, se montrer splendides, mais, dans leur milieu, ils sont vraiment grandioses. Quiconque a eu la chance d'observer une truite postée dans l'eau limpide d'une rivière peu profonde ou un saumon sautant une cascade dans la lumière d'un soir d'été comprendra ce que je veux dire.

Plus on connaît de choses à propos des poissons et de leur habitat, moins on a envie de leur faire du mal. On pourrait en conclure qu'il n'y a qu'à se contenter de les observer sans essayer de les capturer. C'est pourtant un besoin naturel et vital, mais qui doit se faire dans le respect de l'animal. Nous devons absolument le protéger des pollutions, des agressions extérieures et des pêcheurs irresponsables. N'oublions jamais que lorsque nous avons levé le voile, nous devenons nous-mêmes les meilleurs gardiens de ce monde magique.

▲ PENSER COMME UN POISSON
*Deux visions bien différentes, la nôtre
et la leur ! Mettez-vous « dans
la peau » du poisson, vous n'en
deviendrez que meilleur pêcheur.*

◄ LES APPÂTS NATURELS
*Pour récolter vos appâts, remontez
la rivière chaussé de waders et
recherchez ce dont peuvent bien se
nourrir les poissons qui y vivent.
Ici, je récolte des porte-bois.*

► CAMOUFLEZ-VOUS
*Portez des vêtements de couleur neutre,
ainsi qu'un chapeau afin d'éviter les
reflets du soleil sur votre visage.
Baissez-vous, évitez les mouvements
brusques et marchez lentement.*

RESPECTER LA NATURE

EN 1990, THOMAS DAHL, éminent spécialiste américain de l'environnement, publiait un rapport intitulé *La Disparition des zones humides aux États-Unis entre 1780 et 1980.* Il résultait de ce travail que, dans quarante-huit États de l'Union – soit la totalité du pays à l'exception de l'Alaska et de Hawaii –, la moitié des zones humides avaient disparu… Ce recul correspond à une perte de 0,4 ha à la minute pendant deux cents ans ! Les cas les plus dramatiques étant représentés par la Californie, où 91 % des zones humides ont disparu, et la Floride, où 3,8 millions d'hectares ont été perdus, principalement à cause du drainage entraîné par une agriculture intensive.

DES DÉGÂTS VISIBLES

Le problème est le même dans tout le monde industrialisé et, par conséquent, les poissons ont vu leur habitat se réduire dans des proportions significatives. Ainsi, en Colombie-Britannique, au Canada, la plupart des excellentes rivières à truite steelhead ont été anéanties par l'implantation d'ouvrages hydroélectriques. En Europe, le cours des grandes

▲ DES FILETS MEURTRIERS
Les filets parfois longs de plusieurs kilomètres qui ratissent les mers sont meurtriers. Leurs mailles invisibles capturent ou blessent nombre d'animaux, y compris les dauphins ou les phoques. Les saumons paient un lourd tribu à cette pêche.

▼ LES RIVIÈRES DE MONTAGNE
Des rivières aux eaux pures et sauvages, comme celle-ci, en Nouvelle-Zélande, existent encore. Heureusement, leur population de truites sauvages y est préservée pour le plaisir des pêcheurs, des naturalistes et des randonneurs.

rivières de plaine a également été considérablement modifié pour s'adapter aux exigences énergétiques ou agricoles. De nombreux étangs et plans d'eau ont été comblés afin de lever les obstacles à la progression des zones urbaines ou à la construction des routes.

Dans certaines parties de la Scandinavie, des rivières et des lacs ont vu disparaître leur population de poissons à cause des pluies acides provoquées par l'industrie polluante des pays développés. À travers toute l'Inde, la déforestation massive ne permet plus de retenir l'eau lors de la mousson. Nulle part les rivières ne sont épargnées par la pollution, et il n'est pas conseillé de boire l'eau de la Volga ou de se baigner dans la Tamise !

COMMENT AGIR

Dans tous les pays, les premières voix à s'élever contre cette destruction de notre environnement aquatique ont été celles des pêcheurs. De telles protestations peuvent se révéler efficaces : en Inde, le gouvernement les a entendues et des mesures de sauvegarde ont été prises en faveur de l'environnement du mahseer.

Chacun est concerné, et nous devons tous faire notre possible en dénonçant les pollutions éventuelles et en gardant les berges propres. En Nouvelle-Zélande, les pêcheurs limitent volontairement leur pression de pêche sur les rivières les plus sensibles afin de ne pas rompre un équilibre fragile. En donnant l'exemple de leur attention et de leur respect pour l'environnement, en faisant connaître les merveilles du milieu aquatique, les pêcheurs sont les véritables ambassadeurs des poissons et de leur monde merveilleux.

▲ LES RIVIÈRES ET L'INDUSTRIALISATION
Les usines et le transport par bateau de plus en plus intense engendrent une pollution massive de nos cours d'eau. Des rivières comme celle-ci n'abritent plus que les espèces de poissons les plus résistantes, et parfois plus de poissons du tout.

MANIPULER AVEC PRÉCAUTION

Tout pêcheur se doit d'apprendre à manipuler ses poissons avec le maximum de précautions. Le simple fait de les sortir de leur élément peut être dramatique. N'oubliez pas que des mains sèches ou un filet d'épuisette peut sérieusement endommager leurs écailles et retirer une bonne partie de leur précieux mucus protecteur.

1 ATTRAPER UN CHEVESNE
Ce chevesne est maintenant à portée de main. Mais est-ce bien utile de le sortir de l'eau afin de l'admirer avant de le relâcher ? Le poser sur la berge risque de provoquer un stress fatal.

2 LE DÉCROCHER
Si vous employez un hameçon sans ardillon, il est inutile d'utiliser une épuisette. Baissez votre canne de manière à détendre la ligne et retirez l'hameçon de la gueule du poisson avec les doigts.

3 LE RELÂCHER
Le poisson peut maintenant être relâché. Remarquez qu'à aucun moment il n'a été sorti de l'eau. Il est cependant fatigué et il lui faut reprendre des forces. Tenez-le face au courant et ne le relâchez que lorsque vous sentez ses muscles se tendre. Ainsi il pourra regagner son élément, sans risque de rouler sur le fond, sous la force du courant.

LA VIE EN EAU DOUCE

LES RELATIONS ENTRE L'EAU ET LES POISSONS ressemblent à celles des oiseaux avec l'air : l'eau porte les poissons et les aide à se déplacer. Généreuse, l'eau amène la nourriture jusqu'à la bouche des poissons, mais elle peut les asphyxier si son taux d'oxygène baisse. Il existe deux mondes aquatiques : l'eau douce et l'eau salée. Si les saumons, les truites de mer, les esturgeons et les anguilles peuvent vivre dans les deux milieux, la plupart des poissons d'eau douce meurent si on les place dans l'eau salée.

COMMENT LES POISSONS RESPIRENT

LES ÊTRES HUMAINS, comme tous les animaux aériens, vivent dans un milieu qui contient environ 20 % d'oxygène. Lorsque nous respirons, l'air est amené jusqu'à nos poumons puis l'oxygène est véhiculé par le sang dans l'hémoglobine des globules rouges.

Pour les poissons, le système est un peu plus complexe. Tout d'abord, le pourcentage d'oxygène est beaucoup plus faible dans l'eau que dans l'air. Il varie entre 1 et 5 %, ce qui oblige les poissons à avoir un appareil respiratoire très efficace.

Ce sont les branchies qui permettent au sang de se charger en oxygène. Ces organes essentiels sont constitués de tissus parcourus par une multitude de très fins vaisseaux sanguins. Le poisson aspire l'eau qui passe à travers ses branchies. L'oxygène traverse ensuite la très fine membrane qui entoure les minuscules capillaires sanguins, tandis que le gaz carbonique et toutes les impuretés sont éliminés.

Comment l'eau passe-t-elle de la bouche du poisson à ses branchies ? Pour résumer, disons que le poisson ouvre simplement la bouche. Dès qu'elle est remplie, la bouche se referme et est maintenue par des sortes de clapets. Dans le même temps, la gorge se resserre afin que l'eau n'aille pas dans l'estomac, mais bien dans les branchies.

LES VARIATIONS DE NATURE DE L'EAU

Les poissons sont beaucoup plus sensibles que les humains à un changement de leur environnement. Où que nous allions, l'air nous fournit une quantité suffisante d'oxygène, excepté dans les altitudes extrêmes. Dans l'eau, ce n'est pas toujours le cas, et il arrive que les poissons ne puissent pas se nourrir parce que le taux d'oxygène est trop bas. Un saumon qui remonte une rivière en été, lorsque le niveau est bas, l'eau claire et chaude, va tout faire pour éviter les zones calmes et profondes, pauvres en oxygène. C'est pourquoi le bon pêcheur ira plutôt rechercher le poisson dans les courants vifs, en eau peu profonde et bien oxygénée.

Même la carpe peut se retrouver à court d'oxygène. Elle vit généralement dans des étangs peu profonds où, en été, la chaleur peut faire baisser considérablement le taux d'oxygène dissous. Dans ce cas, il est fréquent de voir les carpes monter en surface pour piper l'air. Ne soyez pas surpris : cela ne signifie pas qu'elles peuvent respirer comme nous, mais tout simplement qu'un peu d'oxygène de l'air se retrouve ainsi mélangé à l'eau.

Le carpiste expérimenté sait que, dans ces conditions, la pêche est irrégulière parce que les poissons ne pensent qu'à lutter pour mieux respirer. En revanche, si le vent se lève ou que la pluie se décide à tomber, l'eau s'oxygène et les carpes se remettent immédiatement en quête de nourriture.

OÙ TROUVER LES POISSONS

Savoir comment les poissons respirent peut permettre au pêcheur de les localiser. Prenez un barbeau d'Europe ou un ombre commun en rivière rapide, par exemple. L'ombre commun va s'oxygéner dans les parties les plus rapides, et on aura donc plus de chances de le capturer en insistant sur les têtes de pools, là où les courants sont les plus vifs et l'eau brassée énergiquement. Le barbeau d'Europe, en revanche, respirera mieux dans des zones un peu plus calmes : on le trouvera donc dans la zone la plus profonde des pools.

Les poissons n'ont pas tous les mêmes besoins en oxygène. L'omble, le saumon et la plupart des espèces de truites réclament une eau très oxygénée : c'est pourquoi on les trouve dans les rivières froides et claires. En revanche, la carpe ou le poisson-chat, qui tolèrent de faibles taux d'oxygène dissous, se rencontrent dans les lacs ou les cours d'eau lents, dans des eaux chaudes et chargées en matières organiques.

▲ L'AIR ET L'EAU

L'eau des rivières de montagne, bien que parfaitement oxygénée, est parfois trop froide pour que les larves d'insectes se développent. Les insectes tombant de la végétation de bordure jouent alors un rôle prépondérant dans l'alimentation des poissons.

▼ QUAND L'EAU ÉTOUFFE

Les plans d'eau de plaine sont parfois si riches en matières organiques (à cause des engrais agricoles en particulier) que leur surface se recouvre d'herbiers denses. Seules les carpes ou les tanches peuvent vivre dans un tel milieu.

◀ LE MANQUE D'OXYGÈNE

La sécheresse a fait chuter le taux d'oxygène de la rivière où vit cette truite arc-en-ciel. Après deux jours de lutte, ses forces l'abandonnent, et elle ne survivra que si quelqu'un vient à son secours.

▼ UN CADRE IDÉAL

Ces truites ont de la chance. Leur rivière est profonde et une arrivée d'eau fraîche en tête de pool leur assure une parfaite oxygénation.

COMMENT LES POISSONS EXPLORENT LEUR MONDE

TOUT PÊCHEUR devrait connaître le nombre incroyable
de systèmes mis au point par les poissons, au cours
de millions d'années d'évolution, pour s'adapter à leur habitat.
N'oublions donc jamais que nous cherchons à capturer des
animaux particulièrement bien adaptés à leur environnement.

Les poissons sont parfaitement à leur aise dans l'eau, et ils
acquièrent, avec le temps, une grande expérience. Une carpe
qui a vécu cinquante ans dans un lac en connaît les moindres
recoins. Elle sait aussi exactement à quoi ressemble
l'environnement extérieur, et tout pêcheur s'approchant sans
un minimum de précautions est immédiatement repéré.
Les poissons suivent généralement un trajet bien précis : si un
obstacle inconnu se dresse devant eux, leurs sens sont en éveil.
De même, ils connaissent les bruits et vibrations habituels :
toute nouveauté représente pour eux un éventuel danger.

LA VUE

Sans entrer dans les détails physiologiques de l'œil des
poissons, laissez-moi vous expliquer l'importance de ce sens
pour le pêcheur. Tout d'abord, il ne faut pas croire ceux qui
affirment que les poissons ne voient qu'à courte distance.
En fait, la plupart d'entre eux ont une excellente vue, limitée
simplement par le manque de luminosité ou une eau trouble.

La plupart des poissons voient très bien de loin et nombre
de prédateurs ont une excellente acuité visuelle à courte
distance. Les yeux des poissons fourrages sont parfaitement
aptes à déceler le moindre mouvement de prédateur
(y compris les vôtres) devant ou sur les côtés.

Bien que la surface agisse comme une sorte de miroir
argenté, les poissons peuvent voir ce qui se passe à l'extérieur
de leur milieu. De plus, leur cône de vision est agrandi par

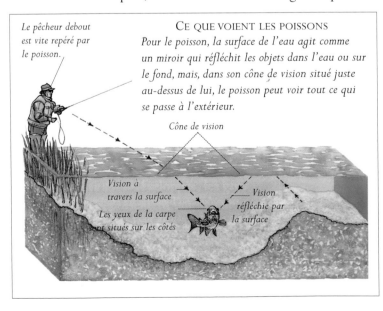

*Le pêcheur debout
est vite repéré par
le poisson.*

CE QUE VOIENT LES POISSONS

*Pour le poisson, la surface de l'eau agit comme
un miroir qui réfléchit les objets dans l'eau ou sur
le fond, mais, dans son cône de vision situé juste
au-dessus de lui, le poisson peut voir tout ce qui
se passe à l'extérieur.*

Cône de vision

*Vision à
travers la surface*

*Vision
réfléchie par
la surface*

*Les yeux de la carpe
sont situés sur les côtés*

▲ LES YEUX DE LA PROIE
*Le gardon doit toujours être aux
aguets. Il possède donc une vision
parfaite qui lui permet de regarder
dans toutes les directions.*

◀ LES YEUX DU PRÉDATEUR
*Le brochet, poisson chasseur par
excellence, voit mieux devant lui, mais
l'extrême sensibilité de sa ligne latérale
lui permet de survivre — donc de
chasser — même aveugle.*

le phénomène de réfraction. Si vous restez debout sur la berge et dans une tenue peu discrète, le poisson, surtout s'il nage près de la surface, a donc toutes les chances de vous repérer. Même hors de son cône de vision *(voir dessin p. 16)*, la surface peut être légèrement ridée par le vent, ce qui donne au poisson l'occasion de vous apercevoir entre deux vaguelettes.

Contrairement aux idées reçues, les poissons distinguent parfaitement les couleurs, et c'est pourquoi il ne faut jamais hésiter à changer la couleur de sa mouche, de son leurre ou de son appât au cours d'une journée de pêche. Le brochet qui, en eau claire, peut voir sa proie jusqu'à 20 m, possède même un système de détection supplémentaire : les deux conduits qui convergent à la pointe de son museau lui permettent de poursuivre une proie mobile sur de longues distances.

LES AUTRES SENS

Compte tenu de la finesse du goût et de l'odorat que possèdent les poissons, nous devons faire attention à la préparation de nos appâts. Il est très difficile de s'imaginer l'acuité de perception d'un saumon capable de reconnaître l'odeur particulière de sa rivière d'origine ou de l'anguille qui peut repérer un poisson mort, en pleine nuit, à l'autre bout de l'étang. Pensez également à tous les poissons pourvus de barbillons, grâce auxquels ils peuvent détecter les vers enfouis dans la vase.

L'ouïe est également importante. Les cyprinidés possèdent une connexion osseuse entre oreille interne et vessie natatoire. Ce système renforce leur perception acoustique et leur permet de repérer un poisson qui nage à leur côté… de même que les vibrations de vos pas sur la berge !

La ligne latérale est un autre système sensoriel qui contribue à la détection d'une proie ou d'un danger. Sur la plupart d'entre eux, cette ligne, constituée d'écailles avec des pores parcourant toute la longueur de leur corps, est bien visible.

La ligne latérale est une sorte de chaîne de cellules sensorielles qui détectent les moindres variations de pression dans l'environnement proche du poisson : cet outil précieux lui apporte une connaissance très précise de tout ce qui se passe dans l'eau. Si vous associez ce système très sophistiqué aux millions de terminaisons nerveuses qui permettent aux poissons de percevoir leur environnement, vous obtenez un animal aux sens réellement très développés.

Presque tous les poissons que nous capturons possèdent aussi un bon sens du toucher. Beaucoup semblent apprécier de se frotter sur des obstacles : ainsi, qui n'a jamais vu une carpe en train de se « gratter » sur des branches immergées ou un saumon faisant de même sur les cailloux qui tapissent le lit des rivières ? De même, les anguilles semblent aimer se blottir dans les vieux tuyaux abandonnés sous l'eau.

LES POISSONS ONT DES OREILLES
Le succès d'un leurre dépend des vibrations qu'il émet autant que de sa couleur. La bonne couleur dépend du lieu, et aussi de la luminosité. Quelques billes intégrées dans le leurre solliciteront le sens de l'ouïe chez le prédateur.

LEURRE CORDELL TRÈS VIBRANT

ANTENNE SENSORIELLE
Ces longs barbillons permettent au silure d'identifier les matières nutritives, même en pleine nuit.

▲ LE SENS DU TOUCHER
Le silure, vivant dans des eaux troubles et chassant plutôt la nuit, possède de petits yeux. Il se sert de ses longs barbillons pour détecter et goûter la moindre proie.

COMMENT SE NOURRISSENT LES POISSONS

U N POISSON qui se nourrit est un poisson que l'on peut attraper : pêcheur, n'oubliez jamais cette formule. Vous pouvez parfois inciter à mordre un poisson qui n'est pas actif mais, dans 99 % des cas, mieux vaut essayer de trouver les poissons qui sont déjà en pleine activité alimentaire.

Généralement, ce n'est pas trop compliqué. Par exemple, de nombreux poissons de fond comme la carpe, la brème ou la tanche signalent leur présence par les bulles s'échappant de la vase qu'ils fouillent à la recherche de leur nourriture. Ce faisant, ils troublent également l'eau. Quant aux carnassiers, ils se manifestent souvent de façon beaucoup plus spectaculaire en bondissant en surface ou par des sauts de petits poissons qui tentent de leur échapper.

TECHNIQUES D'ALIMENTATION

Chaque espèce a une façon de se nourrir bien à elle qui peut varier selon les proies recherchées. La plupart des poissons se nourrissent de proies diverses, comme le montrent les cyprinidés. Dans les eaux chaudes, on les voit souvent nager lentement juste sous la surface, comme s'ils voulaient simplement profiter du soleil. En fait, ils se gavent de petits crustacés aquatiques et de daphnies qui évoluent près de la surface. Tout en respirant, ils en profitent pour filtrer toutes ces petites créatures. Les carpes sont beaucoup plus difficiles à prendre dans ces conditions que lorsqu'elles fouillent la vase à la recherche de vers ou de moules d'eau douce.

Observons maintenant un poisson qui vient prendre un insecte en surface : l'action se déroulera différemment selon le type d'insecte tombé accidentellement à l'eau, mais le pêcheur peut apprendre beaucoup en observant la façon de gober du poisson. Par exemple, l'ombre commun, la vandoise ou l'ablette emportent généralement l'insecte sous l'eau pour l'avaler, tandis que le chevesne aura plutôt tendance à l'aspirer avec un bruit caractéristique qui s'entend à plusieurs mètres. Quant à la truite, elle est beaucoup plus violente et, lorsque les insectes sont gros (mouche de mai, par exemple), elle n'hésite pas à sortir complètement de l'eau.

Les carnassiers procèdent également de différentes façons pour attaquer leurs proies. On peut ainsi les reconnaître : si un poisson semble chasser seul, il y a de fortes chances pour que ce soit un brochet, tandis que s'il s'agit d'un banc, nous verrons plutôt des sandres ou des perches. Si un seul poisson est poursuivi, c'est qu'il a une perche à ses trousses. L'aspe provoque des attaques terribles et spectaculaires sur les ablettes, les gardons ou les rotengles vivant près de la surface.

QUATRE FAÇONS DE SE NOURRIR

La façon dont les poissons se nourrissent dépend de la forme de leur bouche ainsi que de la présence de dents acérées ou de dents plus profondes, dites « pharyngiennes ». Certaines espèces s'adaptent aux proies disponibles.

◄ LA MORSURE
Le brochet attaque en un éclair en ouvrant largement la gueule, mord et aspire littéralement sa proie en créant un courant d'eau. Il referme ensuite sa mâchoire, et pas même une anguille ne peut s'échapper de ses dents acérées.

◄ LE GOBAGE
Beaucoup d'espèces, tels le black-bass ou la truite, viennent en surface gober les insectes tombés accidentellement à l'eau. Le plus souvent, l'attaque est violente avec une éclaboussure plus ou moins importante.

◄ L'ASPIRATION
Les cyprinidés adorent aspirer la nourriture avec leurs lèvres protractiles. Les esches flottantes sont aspirées dans le vortex créé par le poisson. Parfois, l'aspiration est accompagnée de bulles ou d'un bruit caractéristique.

◄ LA SUCCION
Nombre de poissons, tels de véritables aspirateurs, viennent sucer le fond de l'eau à la recherche des proies les plus diverses. Le tri se fait au niveau de la gorge et des ouïes par lesquelles les débris sont éliminés.

Il fond sur eux comme une torpille, provoquant une gigantesque éclaboussure.

Le cas du silure est particulièrement intéressant. On l'imagine souvent comme un poisson de fond lent et placide, ce qui est loin d'être le cas ! Le soir et la nuit, il s'approche de la surface et chasse avec bruit en aspirant toutes les proies qui passent à sa portée. Qui a assisté une fois à ce genre de spectacle ne l'oublie jamais !

Il est toujours utile de savoir comment un carnassier se saisit de sa proie. Le brochet, par exemple, la prend généralement par le côté avant de l'engloutir la tête la première. C'est pourquoi lorsqu'on pêche avec un gros poisson mort, il faut disposer un gros hameçon au milieu du corps de l'appât, tout en ferrant rapidement, pour augmenter les chances de succès.

La plupart des espèces s'adaptent à leur milieu et ont appris à survivre en fonction des proies disponibles. Ainsi les cristivomers, qui vivent dans les lacs d'altitude ou très au nord de l'Europe, ne se nourrissent que de petits ombles. Si ces ombles ne trouvent plus de nourriture, cela provoque alors la disparition des cristivomers.

Très peu de poissons sont exclusivement herbivores, mais une espèce de rotengle vivant dans le bassin de l'Elbe ne se nourrit que de végétaux facilement digestibles (myriophiles, en particulier). Et c'est avec une fleur de chardon, en surface, que j'ai pris ma première carpe amour, un herbivore très connu, et la seconde avec un fragment de feuille de nénuphar !

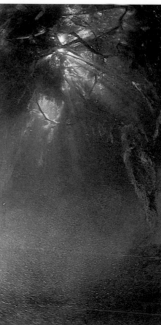

▲ L'ATTAQUE SPECTACULAIRE
Les poissons chasseurs n'hésitent pas à sortir de l'eau pour capturer une proie et les truites viennent parfois chercher un gros insecte qui se croyait en sécurité sur un rocher. Les perches sont aussi connues pour poursuivre les alevins jusque sur les feuilles des nénuphars ou sur la berge elle-même.

◀ UNE NOURRITURE FACILE
Voici un nuage de daphnies, petits animaux aquatiques auxquels les cyprinidés ne peuvent résister. Ils les dévorent par millions, et lorsqu'il y en a de telles quantités, il est bien difficile de les appâter avec autre chose.

LE COMPORTEMENT GRÉGAIRE

C'ÉTAIT AU MOIS D'AVRIL et j'étais sur un bateau, au milieu d'un lac d'Écosse, en train de regarder mon échosondeur. À 12 mètres sous la surface, j'avais repéré un banc d'ombles qui occupait une hauteur de 15 mètres, jusqu'à 27 mètres de profondeur. Ce banc s'étendait sur 150 mètres de long et 80 mètres de large. La masse de poissons était telle qu'elle remplissait un volume de 180 000 mètres cubes… Imaginez cela ! Il devait y avoir des millions et des millions de petits ombles regroupés dans ces eaux profondes, sombres et froides. Pourquoi ? Pourquoi les poissons se réunissent-ils ainsi souvent en grand nombre ?

▶ BANC PRÉHISTORIQUE
Ce fossile montre un banc de poissons morts. Parmi les cas de mort collective, la pollution de l'eau est souvent en cause. Or, paradoxalement, le comportement grégaire permet à une partie du banc d'échapper à la mort par pollution. En effet, certains poissons succombent, mais les autres, alertés, s'enfuient pour retrouver une eau plus claire ou plus propre.

UN MOYEN DE DÉFENSE

Bien sûr, les poissons peuvent se rassembler pour des raisons alimentaires ou à l'époque de la reproduction mais, le plus souvent, c'est pour se défendre contre d'éventuels agresseurs. La vie en bancs permet aux alevins et aux poissons de petite taille de se protéger avant d'atteindre l'âge adulte. Certaines espèces, comme les vairons ou les goujons, restent en bancs toute leur vie. Le fait d'être ainsi groupés augmente tous les moyens de défense : les prédateurs ne peuvent échapper aux yeux et à l'acuité sensorielle de centaines d'individus. De plus, chaque membre du banc bouge sans cesse, renvoyant des éclats de lumière dans toutes les directions : les poissons carnassiers ont donc toutes les peines du monde à concentrer leur attaque sur une proie en particulier. Le plus souvent, après quelques assauts infructueux, ils se découragent et abandonnent.

Le comportement de défense par le regroupement observé dans la nature se constate aussi en milieu artificiel. Ainsi, en aquarium, les poissons libèrent de même une phéromone qui provoque ce réflexe inné d'autodéfense d'autant plus nécessaire que le confinement limite les possibilités de fuite.

Pendant des années, j'ai possédé un aquarium dans lequel je conservais différentes espèces de poissons d'eau douce. Il y avait, en particulier, des perches qui mangeaient presque instantanément un vairon lorsqu'il était seul. En revanche, si je plaçais une vingtaine de vairons en même temps dans l'aquarium, leur espérance de vie était beaucoup plus longue. À condition de rester en banc, ils pouvaient espérer survivre un ou deux mois supplémentaires. Malgré les attaques des perches, leur nombre ne diminuait que progressivement.

▲ RASSEMBLEMENT
De temps en temps, on trouve des carpes solitaires, souvent de grande taille, qui ne retrouvent leurs congénères qu'au moment de la reproduction ou sur des zones particulièrement riches en nourriture.

◀ FRAI DE CARPES
Au moment de la reproduction, toutes les carpes se regroupent dans une cohue indescriptible. Il arrive même que certains individus soient projetés hors de l'eau ou sur la berge !

UNE VIE COMMUNAUTAIRE

Vous remarquerez que les vieux et gros poissons vivent souvent en groupes peu nombreux. En fait, ce sont les rescapés de bancs plus importants décimés par la maladie, les prédateurs ou, plus simplement, par la vieillesse. J'ai eu l'occasion d'observer un banc de brèmes pendant une quinzaine d'années, voyant leur nombre passer d'une trentaine d'individus à trois. Curieusement, ces vieux poissons n'ont pas rejoint d'autres bancs, mais sont toujours restés entre eux.

De temps en temps, des bancs d'espèces différentes se rencontrent mais il est rare qu'ils se mélangent. Il semblerait que les individus d'un même banc soient aptes à se reconnaître et à n'accepter aucun étranger. En tant que pêcheur, nous ne devons jamais oublier cette particularité : si nous effectuons une pression trop importante sur un banc de poissons, nous risquons de lui causer des dommages irréversibles.

▲ TOUJOURS EN ÉVEIL
Même lorsqu'un banc de poissons est excité par la présence de nourriture, il ne baisse jamais totalement la garde. Quelques individus, qui ne participent pas au banquet, restent aux aguets afin de détecter un éventuel prédateur.

▼ MIGRATIONS
Quand le besoin de migrer se fait sentir, les saumons se rassemblent en groupe très compact. Lorsqu'il s'agit, comme ici, de saumons sockeye, le fond de la rivière devient rouge, et les poissons se fondent dans une masse tendue vers le même but, la reproduction.

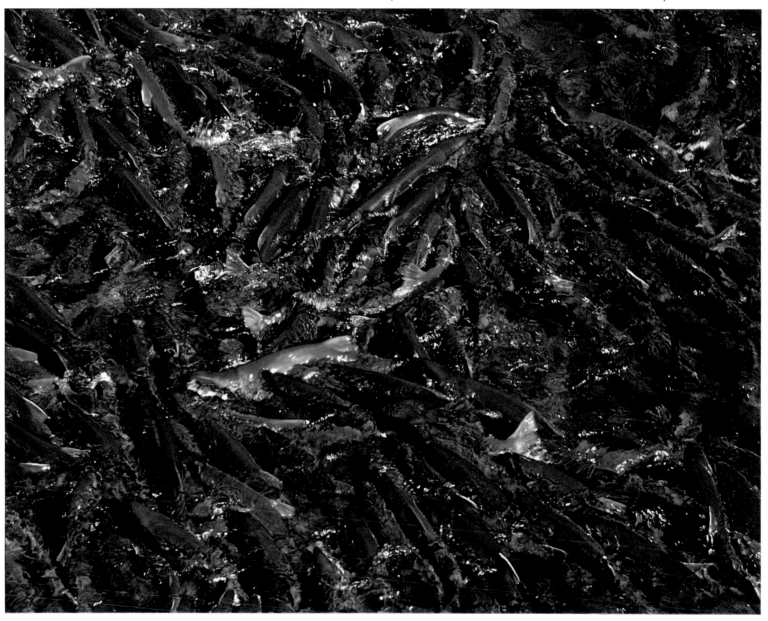

L'HABITAT

LE PÊCHEUR DOIT APPRENDRE comment attraper des poissons dans les petits ruisseaux, les rivières moyennes ou les grands fleuves, aussi bien que dans les mares, les étangs ou les lacs. La richesse en nourriture de ces milieux varie sensiblement, et de nombreux autres facteurs influent sur le comportement des poissons. C'est pourquoi je préfère d'abord vous décrire leurs habitats, que j'ai classés en cinq grandes catégories.

LES RIVIÈRES DE MONTAGNE

DE TOUS LES HABITATS, c'est certainement le plus beau. Sans doute parce qu'elles sont loin de tout, ces rivières sont toujours calmes et le pêcheur peut enfin oublier la civilisation et reprendre véritablement goût à la nature. Les poissons y sont parfois modestes, mais le vrai pêcheur sait que les circonstances de la prise comptent plus que sa taille.

DES POISSONS, PLANTES ET INSECTES SPÉCIFIQUES

Les rivières de montagne sont sujettes aux rigueurs de l'hiver et aux crues du printemps, sans compter les problèmes dus aux pluies acides. Les orages sont violents et fréquents, entraînant des crues qui bouleversent complètement l'environnement des poissons. C'est un type d'habitat aux conditions très changeantes auxquelles il leur faut s'habituer.

La rivière de montagne est souvent considérée comme la zone à salmonidés type. Les truites de toutes espèces y sont, en effet, largement représentées. À condition qu'elle ne soit pas trop polluée en aval, il est fort possible qu'elle abrite de jeunes saumons et même que des adultes la remontent en automne et en hiver. Ses autres hôtes sont, le plus souvent, de petite taille : ce sont les vairons, les chabots ou les loches, sans grand intérêt pour le pêcheur.

Les truites elles-mêmes ne sont généralement pas grosses : toute prise dépassant les 250 g peut être considérée comme de belle taille. Mais ce n'est pas le plus important. Dans ces eaux claires, les poissons arborent une robe aux couleurs magnifiques et sont remplis d'énergie. De plus, parce qu'ils vivent en eau limpide et peu profonde, ils sont difficiles à leurrer.

Les plantes aquatiques sont peu nombreuses et constituées, le plus souvent, de mousses diverses. Les plantes à tige ne trouvent pas suffisamment de vase ou de terre leur permettant d'enfoncer leurs racines afin de pouvoir tenir dans un courant

qui dépasse souvent les 60 cm/s. Les invertébrés qui vivent dans ces eaux sont spécialement adaptés pour s'accrocher aux rochers ou à la mousse. Le frottement de l'eau contre le fond crée une zone réduite (que l'on appelle « couche limite ») où le courant est quasiment nul : c'est le seul endroit où ils peuvent vivre et se nourrir normalement. Certaines larves aquatiques ont un corps aplati qui leur permet de résister aux courants les plus forts. Très souvent, elles possèdent aussi des sortes de griffes grâce auxquelles elles peuvent s'accrocher à tout ce qui traîne.

Le vent, quasiment toujours présent, assure aux truites une profusion de moucherons et de mouches tombés dans l'eau.

TROUVER LES POISSONS

Comme le sait tout bon vendeur, il faut frapper à la bonne porte pour faire une bonne affaire ! Le bon poste à truite est l'endroit qui offre à celle-ci le maximum de confort. Le poisson a besoin d'oxygène, d'une température agréable et d'un abri contre le courant principal. Pour se protéger, un refuge est toujours utile et, la nourriture étant vitale, il faut aussi être proche de gros rochers ou de galets susceptibles d'abriter des larves ou des petits poissons.

Une petite truite fario se postera sans doute dans une eau relativement peu profonde, avec un courant de 15 à 20 cm/s, et ira chasser dans une veine d'eau plus rapide (30 cm/s, voire plus), là où beaucoup d'invertébrés sont emportés.

Les remous divers contiennent des populations nombreuses d'insectes aquatiques et le courant rapide les amène directement dans la gueule des truites. Il existe aussi des zones plus profondes et plus lentes, parfois ponctuées de petites cascades. C'est le repère des plus gros poissons qui y trouvent une eau fraîche et des caches nombreuses et variées leur permettant d'échapper aux prédateurs comme de résister aux sautes d'humeur météorologiques.

LES POISSONS DES RIVIÈRES DE MONTAGNE

L'eau de ces rivières étant rapide, claire et peu profonde, seuls les poissons jouissant d'une robuste constitution peuvent y survivre. Ils sont, en règle générale, de petite taille et ce sont surtout des truites. On peut aussi y trouver des saumons juvéniles et, à l'époque du frai, des adultes qui remontent la rivière.

Il y a également de petits poissons cachés sous les pierres : ce sont des vairons, quelques loches et, parfois, des chabots.

◄ RUISSEAUX

Les saumons atlantiques ainsi que les ombles arctiques n'hésitent pas à remonter de très petits ruisseaux à l'époque du frai.

TRUITE FARIO
Elle stationne en amont, dans les remous où elle peut chasser à loisir toutes sortes d'insectes ou de petits poissons.

L'OMBLE DE L'ARCTIQUE
S'il ne possède pas encore de couleurs chatoyantes, c'est qu'il arrive tout juste de la mer.

JEUNES OMBLES
Ces jeunes ombles arctiques sont âgés d'environ 18 mois.

SAUMON MÂLE
Il se tient prêt à féconder les œufs de la femelle.

TRUITE ARC-EN-CIEL
Elle reste en poste pour se nourrir de toutes les jeunes proies.

SAUMON FEMELLE
Elle dépose ses œufs dans une zone rocailleuse.

OMBRE COMMUN
Il attend patiemment pour voler les œufs des saumons.

LES ÉTANGS

Souvent d'origine naturelle, les étangs peuvent aussi avoir été conçus par l'homme à des fins ornementales ou agricoles, constituant un réservoir d'eau destiné à irriguer les cultures ou à abreuver le bétail. Cependant, ces cinquante dernières années, un grand nombre d'étangs ont disparu, surtout dans les pays industrialisés. Pour satisfaire le besoin sans cesse croissant de terrains à bâtir, ils ont été comblés ou se sont simplement asséchés du fait de la baisse générale du niveau des eaux.

Les étangs sont des milieux très riches en nourriture. Les déjections du bétail, lorsqu'il est présent, favorisent le développement des algues, de la vase et des plantes aquatiques de toutes sortes. Les vers de vase apprécient ce type d'environnement, et l'on sait qu'ils constituent une proie très recherchée par tous les poissons blancs (carpes, brèmes et tanches, en particulier) qui se nourrissent sur le fond. Les tanches apprécient aussi les larves d'insectes et certains types de plantes. La liste des prises que les poissons peuvent trouver dans ce type de plan d'eau est quasiment infinie : larves de diptères, moules, limnées et autres types de petits escargots d'eau, sangsues, etc.

LES POISSONS D'ÉTANG

Les habitants les plus communs sont le gardon, la tanche, la carpe, la brème, l'anguille, la perche, le brochet et, dans certains pays d'Europe, des poissons-chats de toutes les tailles. En été, l'eau de ces bassins a tendance à se réchauffer rapidement, et le taux d'oxygène diminue alors sensiblement. C'est pourquoi les truites et les autres espèces de salmonidés en sont généralement absentes, à moins que l'étang soit alimenté par des sources fraîches et oxygénées.

PERCHE
Elle vit en petit groupe à la recherche de proies.

CARPE
Les grosses carpes arrachent tranquillement la végétation du fond de l'étang.

POISSON-CHAT
Un petit poisson-chat fouille la vase à la recherche de nourriture, tandis qu'un plus gros observe la scène en attendant une proie.

◀ UN ÉTANG ARTIFICIEL
*La nature reprend vite ses droits,
et un trou d'eau artificiel se voit
rapidement bordé d'herbes et de
roseaux. Les plans d'eau créés pour
la pêche deviennent de véritables
paradis pour la faune et la flore.*

Les plantes aquatiques y sont innombrables, les principales étant les myriophylles et les élodées. Dans les zones peu profondes et ensoleillées, elles prolifèrent jusqu'à atteindre la surface. Les nénuphars prospèrent et recouvrent de vastes étendues d'eau profonde, tandis que les roseaux, joncs, carex, potamots, callitriches et renoncules se disputent les berges.

SURPOPULATION

La plupart des étangs, en particulier les plus anciens, sont entourés d'une végétation abondante. Les arbres protègent du vent la surface de l'eau, qui se réchauffe alors plus vite aux premiers beaux jours. Le frai est ainsi favorisé, c'est pourquoi de nombreuses espèces ont tendance à être surreprésentées. Il est donc important de bien gérer cette population ou d'introduire suffisamment de prédateurs si l'on souhaite que les poissons atteignent une taille respectable.

À moins de rechercher des carnassiers, tels que le brochet ou la perche, mieux vaut pêcher en bordure, à l'ombre des branches, au ras des bancs de nénuphars ou des touffes de roseaux. Les carpes suivent invariablement le même itinéraire et les tanches se cantonnent à un territoire confiné. Recherchez les black-bass près des obstacles les plus divers. Et une vieille coque de bateau immergée attirera toujours les carnassiers.

ALEVINS
*C'est le repas préféré
des brochets et des perches.*

BROCHET
*Un beau spécimen se tient,
menaçant, au milieu des herbiers.*

BLACK-BASS (ACHIGAN
OU PERCHE NOIRE)
*Désertant son poste,
un black-bass part
à la recherche de proies*

BRÈME
*Une brème solitaire se
met à l'oblique, tête vers
le bas, pour fouiller la
vase, riche de petits vers.*

▲ UN MILIEU PERDU
*Triste résultat d'une utilisation abusive
et incontrôlée, cet étang a été asséché
après qu'un agriculteur a pompé l'eau
du sol afin d'irriguer ses champs
de maïs. Or un étang tari est rarement
remis en eau.*

TANCHE
*Une tanche nage, sans
doute en filtrant des
daphnies, tandis qu'une
autre, à moitié enfoncée
dans la vase, recherche
sa nourriture.*

LES PETITES RIVIÈRES

TOUTES LES PETITES RIVIÈRES de montagne finissent par s'assagir et grandissent au fur et à mesure de leur descente sur des terrains moins abrupts. Il y a de plus en plus d'arbres en bordure et, parfois, le courant devient quasiment inexistant dans certains pools profonds. Dans cet environnement plus riche en nourriture et plus calme, les poissons grossissent mieux que dans les eaux rapides et glacées de montagne. C'est vraiment là que le pêcheur se sent le mieux.

UNE GRANDE VARIÉTÉ

Le courant reste vif et l'eau parfaitement oxygénée, même en plein été. Il en résulte une grande variété d'espèces. Les truites et les ombres communs sont encore là (à condition que le milieu ne soit pas trop pollué), mais accompagnés par des chevesnes, des barbeaux d'Europe, des perches, des brochets et des cyprinidés de toutes sortes. Même les anguilles apprécient ce milieu et il arrive que quelques black-bass y séjournent. Les plantes aquatiques sont nombreuses, surtout si le fond de la rivière est calcaire. Les renoncules fleurissent en été et forment de longs filets d'herbes sur les fonds de gravier, et on y trouve parfois du cresson d'eau douce. Dans les zones plus lentes, s'il existe de fines couches de vase, des joncs ou des roseaux peuvent faire leur apparition.

La qualité de l'eau et l'abondance de la végétation favorisent le développement des invertébrés. Larves diverses, vers et escargots d'eau douce sont légion. Dans les zones vaseuses, les poissons trouvent des larves de mouches de mai, des moules

◄ DÉBUT DE PARCOURS
Ici, la rivière vient juste de quitter la zone montagneuse et son courant commence à ralentir au fur et à mesure qu'elle gagne la plaine. Les poissons présents sont encore des truites et des ombres communs, mais les cyprinidés apparaissent rapidement dans les trous profonds et les pools.

ou des vers de vase. Sous les rochers se cachent des écrevisses (un mets qu'adorent chevesnes, barbeaux d'Europe et grosses truites) tandis que, sur la surface, patinent les araignées d'eau.

Dans les zones rapides se tiennent surtout truites et ombres communs, particulièrement sur les fonds de gravier. En présence d'un vieux moulin, recherchez-les surtout en aval, dans la zone profonde et agitée. Quant aux chevesnes, vous les trouverez sans doute en bordure, sous les branches d'arbres et, surtout, sous les racines qui maintiennent la berge.

Les perches stationneront dans un endroit plus profond pendant des semaines, voire des mois, et ne bougeront que si une crue vient les déloger. Pour le brochet, ne croyez pas qu'il se trouve toujours dans une poche d'eau profonde. Lorsqu'il chasse, il se déplace très souvent dans les zones peu profondes à la recherche des bancs de gardons, d'ombres communs, ou d'une truite égarée.

◄ RIVIÈRE DE PLAINE
S'il existe un paradis du pêcheur, c'est sans doute là : dans la brume d'un matin d'automne, sur les berges d'une petite rivière à la surface de laquelle se reflètent les rutilantes couleurs des feuilles.

▲ DANS LA PLAINE
Les petites rivières sont très sensibles à la chaleur et certaines sont pratiquement à sec à la fin d'un été trop chaud. Cependant, il reste toujours des trous profonds où les poissons peuvent s'abriter et survivre.

LES POISSONS DE RIVIÈRE

La rivière grouille de vie et abrite de nombreuses espèces. Dans des eaux aussi riches, les prédateurs pullulent et atteignent des tailles respectables, car les proies sont abondantes. Outre les poissons sédentaires, on rencontre des espèces migrant pour aller frayer, capables de rester plusieurs semaines dans ces eaux fraîches et oxygénées, à l'abri d'une pile de pont, par exemple, si les conditions sont mauvaises.

ANGUILLE
Elle adore se poster au milieu des obstacles et des éboulis les plus divers.

BROCHET
Recherchez le brochet juste à côté du courant principal.

TRUITE FARIO
Elle fréquente les zones de courant vif et oxygéné.

SAUMON
De passage lors de sa migration, il stationne le plus souvent en queue de pool.

OMBRE COMMUN
On le trouve dans des eaux plus lentes et plus profondes que celles où nagent les truites.

JEUNES GARDONS
Ils affectionnent les zones peu profondes où ils se nourrissent de petits insectes.

BARBEAU D'EUROPE
Ce poisson puissant raffole des zones de courant rapide.

GARDON
Recherchez-le plutôt dans les parties calmes et sur des fonds propres.

PERCHE
On la trouve un peu partout, toujours en maraude à la poursuite des bancs de petits poissons.

PETITES ESPÈCES
Les graviers abritent de nombreux petits poissons : vairons, loches, épinoches et chabots, qui se camouflent la journée et ne sortent que le soir venu. Si l'eau est pure, il peut aussi y avoir des écrevisses.

LES FLEUVES

Lorsqu'un fleuve atteint la mer, il est large, profond et son courant est lent. Il est aussi influencé par les marées et, dans les derniers kilomètres, ses eaux sont saumâtres. Bien entendu, cela n'est pas sans conséquence sur la vie aquatique. Et il y a l'homme ! Presque tous les estuaires sont des zones densément industrialisées, souvent au cœur des grandes villes, avec des ports parfois gigantesques. Une navigation importante influe fortement sur le milieu, et il n'est pas surprenant que les estuaires constituent souvent, à travers le monde, les sites les plus pollués.

Cependant, il y a presque toujours une vie dans ces zones sensibles. Au cours des vingt dernières années, les grandes villes ont toutefois pris conscience des risques de pollution et elles traitent de mieux en mieux leurs déchets. La qualité de l'eau va en s'améliorant et, même si leur nombre est encore faible, des saumons remontent désormais la Tamise et traversent la ville de Londres.

LES POISSONS D'ESTUAIRE

Au niveau de l'estuaire, les eaux douce et salée se mélangent, et il est possible de rencontrer des espèces variées. Toutefois, les truites, les ombres communs et tous les poissons qui exigent une eau oxygénée sont incapables d'y vivre. Seules les espèces très résistantes peuvent en outre supporter la pollution, souvent importante, et la vase dissimule des proies profondément enfouies. La plupart des poissons sont de petite taille, mais les prédateurs peuvent devenir très gros. Si l'eau est suffisamment claire, le brochet y profite d'un environnement et d'une quantité de proies exceptionnels et peut atteindre une taille et un poids records.

TRUITE DE MER
Un banc de truites de mer remonte de l'océan pour regagner les zones de reproduction.

ANGUILLE
Elle est partout. Alevins et adultes profitent d'une abondante nourriture.

SAUMON
Remontant de la mer, il ne va pas rester bien longtemps dans l'estuaire, mais gagner rapidement les eaux claires des rivières pour entamer sa migration.

BLACK-BASS
Il exige une bonne qualité de l'eau : sa présence est donc un signe encourageant quant à l'efficacité des systèmes d'épuration.

Dans les estuaires, les espèces exclusivement d'eau douce sont peu nombreuses, mais il est possible d'y trouver des gardons ou des perches. Les brochets s'accommodent aussi fort bien d'un certain degré de salinité. Et certaines autres espèces apprécient particulièrement l'eau saumâtre : ce sont les anguilles, les mulets, les poissons plats et le bar européen. On y trouve également toutes les espèces migratrices habituelles, telles que le saumon, la truite de mer, l'alose et la lamproie. Et qui sait, pourquoi pas, quelques esturgeons géants rôdant sous les bateaux ou près des piles de pont.

La nourriture

Dans la plupart des cas, les poissons trouvent leur nourriture sur le fond, voire profondément enfouie dans la vase. Les vers marins (arénicoles, en particulier) sont la proie de nombreuses espèces qui recherchent aussi divers coquillages. Les crevettes sont abondantes à chaque mouvement de marée important. La végétation, elle, est plutôt clairsemée, surtout dans les zones très polluées où l'oxygène est rare.

MULET ET BAR EUROPÉEN
Ils viennent de la mer pour se nourrir de crevettes et de petits poissons.

TRUITE STEELHEAD
Cette espèce de truite américaine vient du Pacifique et remonte les rivières pour frayer.

▲ FLEUVE SAUVAGE
Le fleuve Brahmapoutre, près du golfe du Bengale, à des centaines de kilomètres de sa source dans les hauteurs de l'Himalaya. Une grande variété de poissons vit dans ces eaux troubles et profondes, qui abritent des dauphins d'eau douce.

ESTURGEON
Dans un estuaire, la surprise est toujours possible, tel ce grand esturgeon venu festoyer.

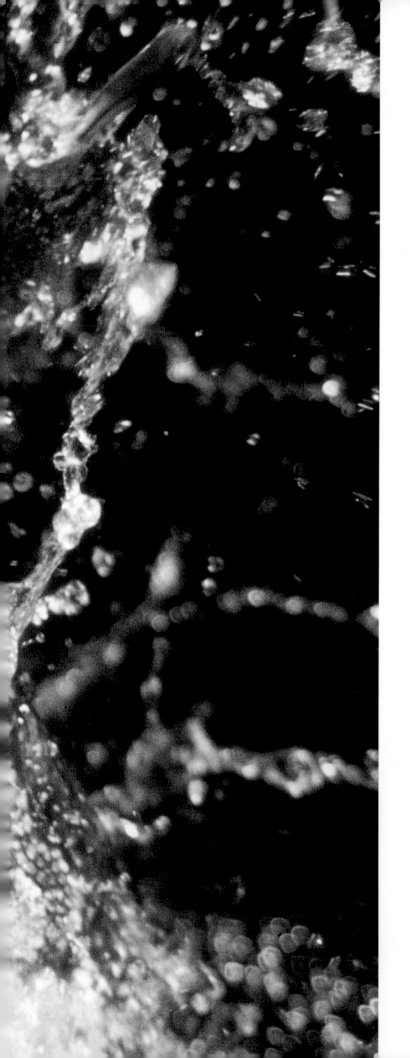

LA PÊCHE DES CARNASSIERS

C'est toujours la vue de poissons carnassiers qui procure les plus grandes émotions au pêcheur. Ils peuvent atteindre une taille flatteuse et sont toujours impressionnants. Prenons le brochet, par exemple. Lorsque votre leurre de surface disparaît dans un remous, vous savez qu'après un combat héroïque il va arriver à vos pieds, les dents et les yeux menaçants : s'il le pouvait, il vous mangerait ! Certains pêcheurs se consacrent exclusivement à la pêche des carnassiers : si l'on pense aux sensations que procurent les maskinongés, les black-bass, les barramundas ou les sandres (dorés jaunes), on les comprend aisément.

ATTAQUE DE BROCHET
Dans une formidable éclaboussure, un brochet fonce à travers un banc de petits poissons. Ils sont minuscules, mais le grand prédateur en attrapera suffisamment pour son déjeuner... C'est le moment de lancer votre leurre !

LE MASKINONGÉ

L E MASKINONGÉ est l'un des poissons de sport les plus recherchés en Amérique du Nord. Il habite tous les lacs et rivières du continent, de la Californie à la frontière canadienne.

Le maskinongé chasse à vue : c'est pourquoi il préfère les eaux claires. Il a également besoin d'une eau oxygénée, beaucoup plus en tout cas que le brochet européen. Enfin, il reste dans une zone de chasse très confinée, contrairement à notre brochet qui part souvent en maraude.

Les maskinongés sont plus rares que les brochets européens à cause de leur reproduction qui est moins efficace (beaucoup moins d'œufs arrivent à maturité) et parce qu'ils frayent plus tard. Les jeunes brochets se nourrissent avidement des alevins de maskinongés. Cependant, ces derniers ont une durée de vie plus longue et ils atteignent des poids records plus importants.

▲ GRANDS LACS
Les vastes étendues d'eau froide, telles que ce lac canadien, ne contiennent pas de grandes populations de maskinongés, mais ceux qui y vivent atteignent des poids exceptionnels.

◀ PÊCHER LE MASKINONGÉ
Sur les grands lacs, le pêcheur de maskinongé doit posséder un bateau rapide afin de limiter le temps de trajet entre les postes.

ANATOMIE

On classe généralement les maskinongés en trois couleurs de robes : les claires, les striées et les tachetées. En réalité, il en existe infiniment plus, et les maskinongés arborent parfois de magnifiques mélanges de couleurs.

MASKINONGÉ *Esox masquinongy*
GUIDE APPROXIMATIF DES POIDS
POIDS MOYEN : 4,5 À 6,9 KG
POISSON TROPHÉE : 9,2 KG
POISSON RECORD : 32 KG

◀ UNE TÊTE DE TUEUR
Le maskinongé possède différents types de dents aux formes disctinctes. Chaque dent a une fonction spécifique : saisir, transpercer, tuer ou mâcher les proies.

TÊTE
Elle est très semblable à celle du brochet ; seule la partie supérieure des opercules et des joues possède des écailles.

ROBE
La robe des maskinongés présente un mélange de vert, de marron et d'argent. Le ventre, blanc ou crème, est plus clair que le dos.

TACHES
Le maskinongé possède des taches noires sur un fond clair (chez le brochet européen, c'est l'inverse).

QUEUE
La nageoire caudale est plus échancrée que celle du brochet européen, mais a la même couleur.

HABITAT

Les maskinongés sont des chasseurs : on les trouve donc obligatoirement là où ils peuvent aisément s'embusquer. Les nénuphars leur assurent à la fois un bon poste et une eau plus fraîche à l'ombre de leurs feuilles. Les gros rochers les attirent aussi, surtout dans les lacs pauvres en végétation aquatique.

En rivière, recherchez-les dans les pools, juste en dessous des rapides, là où les petits poissons viennent se réfugier. Si l'eau est trouble, les baies dans lesquelles les petits bateaux viennent s'ancrer sont les plus favorables. Il est rare d'attraper un maskinongé en pleine eau, votre seule chance étant alors de tomber sur un poisson qui se déplace d'un poste à l'autre.

▲ BRANCHES NOYÉES
Les maskinongés aiment rester immobiles parmi les bois noyés. Ils se servent de tels refuges pour digérer leur proie avant de reprendre la chasse.

◄ HERBIERS
Partout où il y a des herbiers, vous êtes sûr de trouver des petits poissons, et donc des maskinongés. Élodées et myriophylles sont particulièrement appréciées.

LA NOURRITURE DES MASKINONGÉS

Les maskinongés attaquent en général des proies qui mesurent un quart de leur taille et jusqu'à un cinquième de leur poids. Ils chassent surtout à vue, même la nuit, lorsque la pression de pêche se fait moins sentir. Ils préfèrent chasser par temps couvert, mais si le beau temps persiste, ils sortent le matin à l'aube et le soir au crépuscule.

► UN VRAI GOUFFRE !
Selon une méthode de chasse propre au maskinongé comme au brochet, ce poisson fonce gueule ouverte à une vitesse de 30 km/h, voire plus, sur sa proie.

▲ JEUNES CRISTIVOMERS
Dans les endroits où ils vivent ensemble (sud du Canada et Nouvelle-Angleterre), les maskinongés n'hésitent pas à attaquer les jeunes cristivomers, les adultes étant trop gros pour eux.

▲ PERCHAUDE
La légende veut que la dorsale piquante des perchaudes les protège des attaques de brochets. Ce n'est pas du tout le cas, et elles constituent même des proies appréciées par les maskinongés.

▲ SAUMONS DE FONTAINE
Le maskinongé attaque rarement un saumon de fontaine isolé, mais harcèle les bancs. Lorsqu'il fonce dans un banc compact, il a de grandes chances de refermer sa mâchoire sur une proie.

LES STRATÉGIES DE PÊCHE DU BROCHET

Il EST IMPOSSIBLE D'OBLIGER un prédateur comme le brochet à se nourrir : il ne prend une proie que lorsqu'il en a envie et, le reste du temps, conserve une immobilité totale comme dans un semi-coma. Le comportement du brochet est très lié aux conditions météorologiques : dans des eaux froides, sa digestion est lente et il se nourrit peu souvent, tandis que dans des eaux chaudes, il consacrera beaucoup plus de temps à la chasse.

S'ADAPTER À SON HUMEUR

Il ne sert à rien de présenter un leurre qui nage rapidement à un brochet qui se déplace lentement. Votre stratégie doit s'adapter à l'humeur du poisson. En étant attentif, certains indices peuvent vous guider. Par exemple, observez-vous des chasses ? Il n'y a pas de meilleur signe d'activité ! En revanche, si vous voyez des poissons blancs nager et se nourrir tranquillement sur un poste pourtant réputé à brochet, il y a bien peu de chances qu'il soit là ou, du moins, qu'il soit actif. Il faut alors essayer de le provoquer avec un appât immobile ou un leurre très lent.

▲ MONSTRE SUÉDOIS
Cet énorme brochet se promenait dans une petite baie de la mer Baltique. Johnny Jensen l'a observé toute une journée avant de le prendre avec un leurre à nage rapide.

◄ FLOTTEUR À AILETTES
Lorsque l'on pêche à grande distance, ce type de flotteur permet de voir la moindre touche.

LE BROCHET ACTIF

Après plusieurs jours d'inactivité, le brochet se décide à partir à la chasse. Ses yeux sont les premiers à bouger, puis son corps se met à l'horizontale avant de se relever à l'oblique. Le poisson décolle du fond, ses nageoires pectorales s'agitant et la caudale remuant doucement. Le pêcheur doit saisir sa chance.

Un brochet actif peut inspecter un poisson mort posé juste à côté de lui, surtout si vous lui avez injecté un additif sous forme d'huile ou une couleur artificielle. Un appât teint en rouge est souvent plus efficace que les autres. La présentation est également importante : n'hésitez pas à animer votre poisson mort par quelques petits coups de la pointe de la canne.

▲ FLOTTEUR À BROCHET
Un brochet actif ne fait pas le détail. Pour éviter qu'il n'avale trop l'appât, utilisez un flotteur : c'est le seul moyen de savoir à quel moment exact il l'a saisi.

▼ RÉVEILLÉ !
Cette superbe photo montre un brochet sortant de sa torpeur et commençant à observer son environnement. Vous pouvez observer que le brochet décolle du fond et qu'il commence à bander ses muscles.

◄ TRÈS APPÉTISSANT
Il y a de nombreuses façons de rendre un poisson mort attractif. Changez d'espèce (la queue d'anguille est très efficace) et n'hésitez pas à essayer des poissons de mer (maquereau ou hareng). Vous pouvez aussi les teindre en rouge, en bleu ou en vert. Enfin, on peut parfumer un poisson mort en lui injectant des huiles à l'aide d'une seringue.

LE BROCHET EN MARAUDE

Une fois sorti de sa torpeur, le brochet part en maraude. Il est affamé, et tous ses sens sont en alerte, même s'il ne semble pas encore développer beaucoup d'efforts.

Le poisson mort peut également attirer ce type de brochet, surtout s'il est présenté entre deux eaux avec un montage flottant qui peut se voir de loin *(voir page précédente, en bas à gauche).*

Mais ce sont surtout les leurres qui sont efficaces. Essayez les modèles aux couleurs vives qui peuvent travailler lentement et assez profondément. S'ils soulèvent un peu de vase en raclant le fond, c'est encore mieux ! Un gros leurre de surface coloré peut provoquer une attaque, car le brochet ne voudra pas laisser passer une proie facile et qui peut combler son appétit.

▶ AUX AGUETS
Un brochet en maraude est en alerte et suffisamment affamé pour vouloir tuer. Il remonte lentement vers la surface, où il peut trouver des petits batraciens ou des poissons. Il attaquera alors sans hésiter une imitation de grenouille (photo du haut) *que vous prendrez soin d'animer de façon saccadée au ras des feuilles de nénuphars. Il faut toujours travailler un leurre de manière à ce qu'il imite au mieux un animal vivant.*

PÊCHE À LA MOUCHE

Un brochet en pleine activité de chasse nage dans les zones peu profondes à la recherche de toutes les proies qu'il peut trouver. Il est alors souvent possible de le détecter par les vagues et les remous que ses mouvements créent à la surface de l'eau. Observez également le comportement des oiseaux ou d'éventuels petits poissons qui semblent pris de panique.

C'est le moment de sortir la canne à mouche. Choisissez des mouches artificielles de grosse taille, qui émettent suffisamment de vibrations pour éveiller l'intérêt du brochet. Assurez-vous d'un bas de ligne en acier relativement solide, car les attaques sont violentes. Il est aussi possible de pêcher ainsi avec un *popper* (leurre de surface créant d'importantes vibrations).

◀ LA MOUCHE PARFAITE
Heureusement (car ce ne serait pas amusant !), il n'existe pas de mouche parfaite… Elle doit offrir un corps volumineux et suggérer les mouvements d'une proie vivante.

▲ MOUCHE PLUS LEURRE
Une bonne idée : pêcher à deux avec des leurres différents. Les vibrations de la cuiller peuvent attirer le brochet, qui, au dernier moment, décide d'attaquer la mouche.

LA PÊCHE AUX LEURRES

LA PÊCHE AUX LEURRES (cuillers ondulante ou tournante, poissons-nageurs) est sûrement la façon la plus excitante et la plus efficace de capturer brochets ou maskinongés. En Europe comme aux États-Unis, elle attire de plus en plus de pêcheurs, désireux de pratiquer une technique dynamique.

La pêche aux leurres exige d'anticiper le comportement du poisson. Le secret est d'être capable de « lire » l'eau, c'est-à-dire savoir, du premier coup d'œil, où se postent les poissons. Ensuite, il faut choisir le bon leurre. Est-ce que le brochet attaquera un leurre qui nage lentement ou rapidement, profondément ou en surface ? Le choix de la forme, de la couleur, de la taille du leurre et de la façon de l'animer en découle.

▲ SAVOIR OÙ REGARDER
Le pêcheur expérimenté sait que les bois noyés attirent irrésistiblement les brochets. Ils les abritent pendant leurs phases de repos et sont utilisés comme postes de chasse.

PÊCHE AUX LEURRES EN BAIE

Sur la page ci-contre, je décris une séance – réussie – de pêche aux leurres dans une petite baie de la rivière Wye, en Angleterre. Les brochets viennent souvent dans ces poches d'eau calme pour chasser ou se reposer, à l'abri du courant. Ce jour-là, j'ai eu de la chance : au bout de quelques minutes seulement, j'ai repéré un remous à gauche d'un arbre noyé.

DÉTAIL DU POSTE
La baie consistait en une poche d'eau peu profonde et vaseuse entourée d'une végétation dense avec, notamment, de nombreux arbres dont les branches trempaient dans l'eau. Arbres ou branches immergés fournissaient aux brochets des postes idéaux.

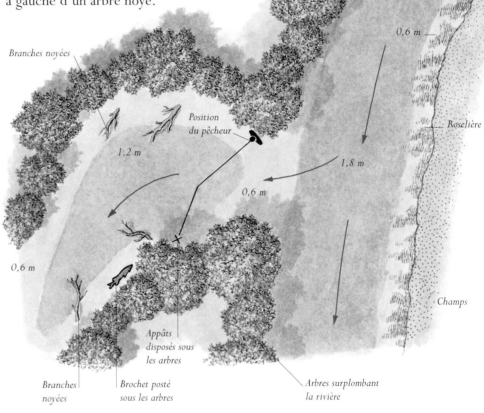

Arbres surplombant la rivière

0,6 m

Roselière

Branches noyées

1,2 m

Position du pêcheur

1,8 m

0,6 m

0,6 m

Champs

Branches noyées

Brochet posté sous les arbres

Appâts disposés sous les arbres

Arbres surplombant la rivière

LE SIGNAL DU LEURRE
En bougeant, le leurre émet des vibrations dans l'eau. Celles-ci sont perçues par la ligne latérale du brochet et ses terminaisons nerveuses. Alerté, il part à la recherche de cette proie éventuelle.

LE POSTE
Le pêcheur a bien interprété ce qu'il a observé : un gros brochet s'est posté près de cet herbier immergé.

PRÊT À LE SAISIR
Le chasseur de brochet doit toujours se préparer à aller saisir sa prise. Attention aux zones où la vase est molle et profonde.

LE CHASSEUR DE BROCHET

Ce pêcheur porte des waders et, grâce à ses lunettes polarisantes, peut voir sous l'eau, à travers les reflets du soleil sur la surface, pour surveiller aussi bien son leurre qu'un éventuel poisson. Il s'accroupit afin de se confondre avec les roseaux qui l'entourent et reste parfaitement immobile. Il a repéré un banc d'herbiers et se doute qu'un brochet y est posté. Il lance son leurre quelques mètres devant lui seulement et le travaille par de petits coups secs du poignet et des accélérations soudaines de récupération.

LA RECHERCHE ET LE LANCER

1 CHERCHER LE BROCHET
Ayant remarqué un remous révélateur, j'étais persuadé de la présence d'un beau brochet dans cette baie. J'ai scruté la surface de l'eau pour le localiser le plus exactement possible.

2 LANCER AVEC PRÉCISION
Une fois le brochet repéré, je lance une grosse cuiller ondulante. Avec un leurre de cette taille, si je ne suis pas suffisamment précis, je risque d'effrayer le brochet. Je dois réussir du premier coup. Je lance un peu plus loin que le poisson et commence à ramener pour que le leurre lui passe devant le nez.

LE COMBAT

1 LE DÉPART EN FORCE
Comme je l'espérais, le brochet a pris le leurre au premier lancer. Je ferre vigoureusement et son départ est fulgurant : il fonce comme une fusée vers le large !

2 AU BORD
Après 20 minutes de combat sur ma ligne de 3,6 kg de résistance seulement, et une tentative de départ dans la rivière elle-même, le brochet arrive au bord.

3 ENCORE UN PEU TÔT
Le brochet me gratifie alors d'un nouveau départ en puissance. Je plie les jambes pour l'accompagner. Le frein de mon moulinet, bien réglé, libère la ligne pour éviter la casse.

4 UN SAUT IMPRESSIONNANT
Malgré de longues minutes de combat, le brochet, furieux, trouve la force de sauter hors de l'eau. Avec un bon moulinet et une canne fine et souple, je le contre efficacement.

5 VAINCU
Une fois le brochet épuisé, je parviens à l'amener sur une zone peu profonde. Je le décroche et pose pour la photo-souvenir avant de le relâcher.

LA PÊCHE DU MASKINONGÉ

LES POPULATIONS DE MASKINONGÉS sont rarement plus denses que celles de brochets. Il en résulte que la compétition alimentaire entre les maskinongés est moins intense. Ces animaux sont cependant parfois très sélectifs sur leur nourriture et si difficiles à pêcher qu'aux États-Unis on dit que l'on peut espérer en prendre un tous les dix mille lancers !

Le maskinongé est un poisson coriace. Il tire avantage de son expérience et… de sa mémoire. On m'a dit une fois que tous les maskinongés des États-Unis ont déjà vu un pêcheur à l'œuvre… et qu'ils s'en souviennent. Vrai ou pas, cette réputation ne doit pas nous décourager. Chaque année, il se prend tout de même un nombre non négligeable de maskinongés. La réussite est aussi affaire de confiance : réfléchissez tranquillement et essayez de faire au mieux tout ce que vous entreprenez.

▶ L'ESPRIT DE COMBAT
N'oubliez jamais que les maskinongés sont d'extraordinaires combattants. Si vous avez investi beaucoup de temps et d'efforts pour en piquer un, vous devez aussi être totalement confiant envers votre matériel. Ne prenez aucun risque !

UN CLIENT DÉLICAT

Les maskinongés ont la réputation bien établie de suivre les leurres plusieurs fois sans jamais les attaquer. Le pêcheur de maskinongé doit donc maîtriser un grand nombre de techniques, posséder tous les types de leurres ou d'appâts vivants ou morts pour la pêche au lancer classique ou la pêche à la traîne, dans les herbiers les plus touffus et même de nuit ! *(Voir p. 116.)*

La première chose est de toujours rester concentré. Il ne faut jamais pêcher mécaniquement. Vous devez bien réfléchir avant d'essayer de nouvelles méthodes ou de nouveaux leurres.

Choisissez une collection de leurres qui vous permettent de pêcher depuis la surface jusqu'à 10 m de fond.

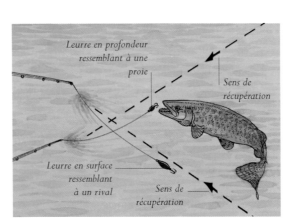

▲ LA PÊCHE À DEUX LEURRES
Si vous pêchez à deux dans le même bateau, croisez la récupération de vos leurres, l'un évoluant près de la surface, l'autre plus profondément. Souvent, un maskinongé suit le leurre le plus profond jusqu'au bateau et, apercevant le second leurre, prend l'intrus pour un prédateur prêt à lui voler sa proie. Le maskinongé accélère alors sa nage pour se saisir du premier leurre.

▲ PIQUÉ !
Ce gros maskinongé a mordu sur une cuiller ondulante. Remarquez qu'il n'est piqué qu'au bord de la gueule. Il est très rare qu'il avale profondément.

LES BONS LEURRES

Pour le maskinongé, les leurres de 18 à 20 cm sont les meilleurs, mais vous pouvez essayer des modèles un peu plus petits au printemps, lorsque l'eau est plus froide, et des plus gros à l'automne.

La technique de pêche traditionnelle consiste à utiliser des leurres peu vibrants au printemps, et des leurres très actifs au fur et à mesure que l'eau se réchauffe. Il est souvent payant d'accélérer sa récupération, puis de la ralentir brutalement. Animez le leurre par petits coups secs du scion de gauche à droite. Essayez de convaincre le maskinongé que votre morceau de bois ou de plastique est des plus appétissants.

▲ POISSON-NAGEUR PHANTOM
Ces deux photos montrent le travail d'un leurre Phantom sur le fond. Il se tient à l'oblique, nez vers l'avant et, à chaque fois que l'on récupère la ligne, il crée un nuage de vase qui imite parfaitement une proie fouillant le fond.

▲ MISSION ACCOMPLIE
Andy Goram, pêcheur anglais renommé, s'était lancé le défi de capturer un maskinongé : voilà qui est fait ! Il est toujours enrichissant de pêcher des espèces dans des eaux différentes de celles dont on a l'habitude.

GRANDES SURFACES

En général, les plus gros maskinongés peuplent les grands lacs ou rivières. Vous aurez donc besoin d'un bateau de 5 à 6 m de long et assez spacieux pour ranger les boîtes de leurres et l'ensemble du matériel indispensable à la pêche du maskinongé. N'oubliez pas qu'il ne s'agit pas d'un petit poisson et que vous aurez besoin de place pour le monter à bord en toute sécurité. Une petite plate-forme de lancer à l'avant et un moteur puissant sont bien utiles.

Une fois sur l'eau, recherchez en priorité les îles, les éboulis de graviers, les gros rochers, les grands bancs d'herbiers (surtout dans les baies), les bois noyés, les nénuphars, les arrivées d'eau, les lits d'anciennes rivières et tous les obstacles noyés. Portez une attention toute particulière aux zones profondes proches de ce genre d'endroits. Pêchez alors en faisant plonger votre leurre de la zone peu profonde vers la plus profonde.

▶ LE TRAVAIL DU LEURRE EN HUIT
Cette manière de procéder est efficace lorsqu'un maskinongé a suivi votre leurre sur plusieurs mètres et arrive au bateau, nez collé sur le leurre, mais sans l'attaquer. En procédant de la sorte, vous pouvez continuer à travailler votre leurre sur place, sans avoir à le sortir de l'eau pour le relancer. Faites décrire un huit à votre leurre, scion au ras de l'eau ; à la moindre touche, ferrez à la verticale.

▲ ESSAYEZ LE POISSON MORT
Lorsque les maskinongés deviennent difficiles, tentez la pêche au poisson mort. S'ils dédaignent les poissons d'eau douce, placez un morceau de poisson de mer à l'hameçon. Leur forte teneur en huile est peut-être la cause de leur attrait.

▲ EMBARQUER UN MASKINONGÉ
Pour monter un tel poisson, privilégiez une épuisette avec des mailles petites et souples afin de pas le blesser. On peut aussi utiliser un cadre (sorte d'épuisette sans manche employée aux États-Unis). Relâchez les poissons qui ne constituent pas des records sans les sortir de l'eau.

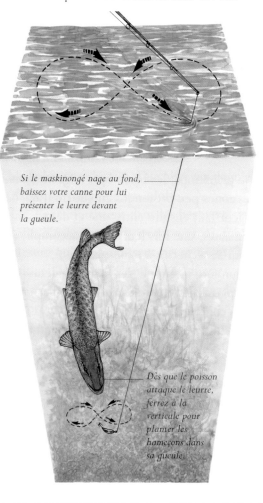

Si le maskinongé nage au fond, baissez votre canne pour lui présenter le leurre devant la gueule.

Dès que le poisson attaque le leurre, ferrez à la verticale pour planter les hameçons dans sa gueule.

LES DIFFÉRENTES ESPÈCES DE BASS

S I VOUS PARLEZ DE « BASS » à n'importe quel pêcheur, il va immédiatement penser au black-bass, originaire d'Amérique du Nord. Pourtant, de nombreuses autres espèces sont connues sous la même terminologie. Tous sont des poissons de sport très appréciés par les pêcheurs du monde entier.

Parmi eux, on peut signaler : le bar européen qui vit dans tout l'Atlantique et dans la Méditerranée (en France, on l'appelle alors « loup ») et n'hésite pas à remonter dans les estuaires ; le bar rayé qui vit sur la côte Ouest des États-Unis et qui remonte assez loin dans certaines rivières ; le peacock bass qui vit dans les grandes rivières d'Amérique du Sud et le spot-tailed bass que l'on trouve en Australie, où un poisson apparenté, le Murray cod, est aussi très populaire.

▲ SOUS LE PONTON
Tous les bass apprécient les pontons. La présence humaine ne semble pas les déranger, mais ils sont particulièrement sur leurs gardes.

◄ OBSTACLES SOUS-MARINS
Les piliers de construction des quais ou des pontons sont souvent recouverts de mousse riche en insectes. Ces derniers attirent inévitablement les jeunes black-bass.

ESPÈCES D'AUSTRALIE

Il y a plusieurs poissons connus sous le nom de bass en Australie, à commencer par le bass australien lui-même. C'est un poisson de sport apprécié, présent dans toutes les rivières côtières, estuaires et plans d'eau du sud-est de l'Australie. Il n'est pas très gros, mais il a une bonne défense et peut être pêché aussi bien au leurre qu'à la mouche.

Le plus gros représentant de la famille des bass australiens est le Murray cod. En fait, il ne fait pas vraiment partie de la grande famille des bass, mais il y ressemble fortement. Le spécimen le plus imposant jamais capturé (au début du XXᵉ siècle) pesait 113,5 kg, et le Murray cod reste le plus gros poisson d'eau douce australien. Il apprécie les trous profonds et vaseux des rivières lentes. Originaire du bassin de la rivière Murray-Darling dans le sud de l'Australie, il a été introduit un peu partout dans le pays.

Le Murray cod a une robe marbrée marron et jaune qui lui permet de passer inaperçu aux yeux de ses proies dans les eaux troubles où il vit.

MURRAY COD
Maccullochella peeli
GUIDE APPROXIMATIF DES POIDS
POIDS MOYEN : 2 À 8 KG
POISSON TROPHÉE : 20 KG
POISSON RECORD : 41,6 KG

◄ PORTRAIT D'UN MURRAY COD
Le Murray cod possède de grands yeux qui lui permettent de voir même dans des eaux troubles. Ses larges joues l'autorisent à engloutir des proies volumineuses. C'est vraiment un prédateur impressionnant !

► RIVIÈRE TROPICALE
Cette rivière du Queensland abrite de nombreuses espèces de poissons de sport australiens. L'eau y est très colorée à cause de pluies récentes. Les Murray cods remontent cette rivière, où ils se postent derrière chaque obstacle ou branches immergées.

L'HABITAT DU BASS

Bien que l'on considère les bass comme des poissons d'eau douce, de nombreuses espèces s'accommodent fort bien d'une eau légèrement saline. Mais que ce soit en eau douce ou en eau saumâtre, les bass cherchent avant tout des endroits où se poster.

Leur tactique de chasse est basée sur l'embuscade, derrière un rocher ou tout autre obstacle noyé. Dans les eaux claires, ils peuvent choisir les zones profondes comme territoire de chasse. Deviner où se cachent les bass demande une bonne connaissance et de l'eau et du poisson. Souvent, un guide local est indispensable.

▲ RIVIÈRE ANDRU, EN NOUVELLE-GUINÉE
La magnifique rivière Andru se trouve dans l'île de Nouvelle-Bretagne en Papouasie-Nouvelle-Guinée. Elle abrite, entre autres espèces, le spot-tailed bass, une forme locale du « black » spot-tailed bass.

▲ ÉPAVE
Cette épave, avec les bois noyés qui s'y sont accumulés, repose sur le fond d'une rivière du Queensland. C'est un véritable repère à Murray cods et autres espèces de bass. La pêche à la tombée de la nuit est la plus productive.

BASS TROPICAUX

Les côtes australiennes sont réputées pour la richesse de leurs eaux, mais la pêche sportive en Papouasie-Nouvelle-Guinée est relativement récente. Aujourd'hui, de nombreuses routes y ont été aménagées et on peut envisager de s'y rendre facilement pour de fantastiques parties de pêche.

Les rivières du sud du pays abritent des populations nombreuses de gros Murray cods. Les bass atteignent aussi une taille impressionnante et combattent plus ardemment que n'importe où ailleurs. On rencontre également des carpes rouges, des spot-tailed bass, des poissons-chats et des anguilles. Même si la pêche est excellente, gardez un œil sur la végétation tombante qui vous entoure. Il n'est pas impossible qu'un python vienne vous rendre visite jusque dans votre bateau !

NAGEOIRE DORSALE
Elle est divisée en deux, comme chez le black-bass.

▲ SPOT-TAILED BASS
Ce superbe spécimen a été pris dans l'une des rivières du sud de la Papouasie-Nouvelle-Guinée. Ces poissons ont une défense extraordinaire, il faut donc s'équiper en conséquence.

▼ CARPE ROUGE
Une fois ferré, ce poisson regagne les zones encombrées : il faut donc le pêcher avec du matériel solide. Il faut aussi de bons bras et de la volonté pour les faire revenir en pleine eau.

PINCE
Ce type de pince est utilisé pour maintenir fermement le poisson sans le blesser ni le stresser.

◀ RIVIÈRE DE FORÊT
Cette partie peu profonde et turbulente d'une rivière de Papouasie-Nouvelle-Guinée est utilisée comme gué par les habitants de la région. La pêche y est bonne, particulièrement dans les zones où se forment des pools. L'aménagement du territoire de Papouasie-Nouvelle-Guinée facilite désormais l'accès à de tels sites de pêche.

LES PERCHES

PERCHE COMMUNE
Perca fluviatilis
GUIDE APPROXIMATIF DES POIDS
POIDS MOYEN : 0,45 à 0,9 KG
POISSON TROPHÉE : 1,4 KG
POISSON RECORD : 5,4 KG

LES PERCHES DU MONDE ENTIER constituent une famille complexe et variée. Les pêcheurs les divisent en deux grandes catégories : les perches du Nord, dont notre perche commune, et les perches de l'hémisphère Sud telles que la perche du Nil ou le barramunda ou brochet de mer *(voir p. 65)*. Les perches se caractérisent par un comportement de carnassier très agressif.

LES PERCHES DU NORD

DEUX ESPÈCES de perches du Nord sont importantes pour le pêcheur. La première est la perche commune que l'on trouve de l'Europe à la Mongolie. Son aire de répartition s'étend, du nord au sud, de la Finlande au Kazakhstan, sur les bords de la mer Caspienne. L'autre espèce est la perchaude, qui ne se différencie de la première que par sa robe et qu'on trouve au Canada et aux États-Unis. La perche commune se situe entre 500 g et 1 kg, mais peut exceptionnellement atteindre 3 kg.

Quelle que soit l'espèce, les perches du Nord sont très agressives et elles n'hésitent pas à attaquer des proies qui mesurent le tiers de leur propre taille. Comparée à leur corps, leur gueule est très grande ; ces perches sont expertes dans la chasse en bancs.

BOUCHE
La bouche de la perche peut s'ouvrir largement, ce qui lui permet d'avaler des proies volumineuses par rapport à sa taille.

ŒIL
Les perches ont un œil de grande dimension grâce auquel elles chassent principalement à vue.

▲ **AU CALME**
Les perches affectionnent les zones d'eau calme plutôt que les courants vifs. Elles patrouillent dans les poches d'eau morte, là où se concentrent vairons et autres petits poissons. Si elles bravent de forts courants, c'est pour poursuivre une proie.

LA PONTE DES PERCHES

Les perches du Nord pondent en avril et en mai, parfois en juin dans les latitudes les plus extrêmes. Les œufs sont agglomérés en une sorte de ruban de 1 à 2 cm de large et de 1 à 2 m de long. La femelle dépose ses œufs sur des branches immergées, des racines ou des plantes aquatiques dans les zones peu profondes. Le mâle les féconde immédiatement, et c'est après deux semaines d'incubation qu'ils éclosent. Il n'est pas rare que les parents dévorent leurs propres œufs ou leurs alevins.

▲ **LACS GELÉS**
Que ce soit en Europe ou en Amérique, les perches vivent dans des lacs profonds aux eaux très froides. Elles se nourrissent d'insectes et de petits poissons dans les zones de bordure moins profondes. Elles n'hésitent pas à attaquer leur propre progéniture.

▲ **RIVIÈRE DE PLAINE**
L'un des lieux privilégiés de la perche se situe dans la zone de plaine, lorsque la rivière s'assagit et s'élargit. Les berges y étant riches en herbiers, elle y trouve toute la nourriture qu'elle désire.

◄ **FRAI DE PERCHE**
Le ruban d'œufs déposé par la femelle s'accroche rapidement aux obstacles immergés. Un aménagement trop soigné des berges entraînera une diminution certaine de la population de perches : elles ont absolument besoin de trouver quelques racines ou arbres tombés à l'eau pour réussir leur frai.

NAGEOIRE DORSALE
*Une nageoire dorsale hérissée
est souvent le signe d'un poisson en chasse.*

ZÉBRURES
*Les rayures verticales sont aux
perches ce que les empreintes dig-
itales sont aux hommes : aucune
n'a les mêmes. La plupart des
perches en ont entre 5 et 9, certaines seulement 4.*

ANATOMIE DE LA PERCHE

La perche est prête à affronter
un milieu hostile : en redressant
sa nageoire dorsale, elle peut
repousser certains prédateurs ;
sa robe zébrée lui permet de se
cacher aussi bien à la vue de ses
proies que de ses ennemis.

QUEUE
*La queue est relativement petite,
ce qui fait de la perche un poisson
assez lent pour un prédateur.
Elle ne base pas sa tactique de chasse sur le sprint, mais sur le nombre
et la tactique du banc.*

OBSTACLES NOYÉS

Les perches aiment stationner près des
obstacles de toute nature. Elles ne sont
en pleine eau que pour passer d'un poste
de chasse à un autre. Partout où il y a des
herbiers, des bois noyés, une épave, des
piliers de ponton, elles sont à leur aise.
Dans ce contexte, elles sont particulièrement
aidées par leur camouflage. Les bandes verticales de leur corps leur permettent de passer
totalement inaperçues au milieu des roseaux,
par exemple.

▲ CONSTRUCTIONS HUMAINES
*Embarcadères, pontons, quais… ne rebutent
pas les perches. Elles affectionnent en
outre les irrégularités du fond, qui créent
coins et recoins.*

◄ LES ROSEAUX :
UN PARADIS POUR LA PERCHE
*Notez comme la robe de la perche lui per-
met de passer inaperçue au milieu de ce
massif de roseaux. Ici, les perches pondent,
se cachent et se nourrissent. Elles aiment
aussi se frotter aux tiges des roseaux, peut-
être pour se débarrasser de parasites.*

▲ UN CHAMP DE NOURRITURE
*Jeunes, les perches chassent sur les fonds d'herbes molles
où elles trouvent quantité de larves et de crevettes d'eau
douce. Si elles voient une carpe en train de fouiller
le fond, elles n'hésitent pas à s'approcher très près pour
attraper les vers de vase ainsi mis à nu.*

LA PÊCHE DU CHEVESNE

LES CHEVESNES sont des gloutons. Que les appâts soient gros ou petits, que le courant soit fort ou lent, tout cela n'a aucune importance aux yeux d'un banc de chevesnes affamés. Ils ont une large bouche, de grands yeux… et de l'appétit !

Cependant, ils peuvent être aussi suspicieux et rejeter une esche qui leur paraît douteuse. Dans cette double page je vais vous montrer comment j'ai capturé un chevesne au pain, dans la rivière Wye, en Angleterre, par une belle journée d'été, juste avant le crépuscule.

▲ ÉPIER LES POISSONS

En s'approchant doucement, il est possible d'observer un banc de chevesnes en maraude sous les branches basses. La journée est chaude et ils se tiennent près de la surface : pour les prendre, il faudra utiliser une esche flottante.

UNE ZONE DE CONFLUENCE

J'ai décidé de pêcher à la zone de confluence entre la rivière principale et une petite arrivée d'eau. C'est toujours un bon poste parce que des petits poissons dérivent régulièrement du cours d'eau vers la rivière principale, ce qui attire les beaux chevesnes. Des arbres bordent la rivière, d'où tombent de nombreux insectes.

DU PAIN EN SURFACE

1,8-2,1 m

Je jette des morceaux de pain ici afin qu'ils dérivent en aval

Je lance au-dessus de mes morceaux de pain flottants

1,2-1,5 m

Pré

1,2-1,5 m

Berge vaseuse

1,8-2,1 m

La ligne se pose exactement à l'endroit choisi

Les chevesnes nagent en remontant le courant au ras de la berge

1 L'AMORÇAGE
J'ai décidé d'amorcer avec du pain. Je coupe des morceaux de la taille d'une boîte d'allumettes et je les jette dans le courant principal afin qu'ils dérivent vers l'aval, juste sous les arbres, là où les chevesnes sont postés.

2 MERCI BEAUCOUP !
Le premier morceau de pain est immédiatement happé par un beau poisson, et les autres ne tardent pas à faire de même. Les chevesnes sont toujours sur le qui-vive et ne laissent jamais passer l'occasion d'un bon repas. Bientôt, tous les morceaux de pain qui passent sont engloutis avec appétit.

3 OBSERVER LA SURFACE
Maintenant, tous les chevesnes ont quitté leur abri sous les branches et nagent vers la surface en direction de la moindre miette. C'est le moment de leur présenter la ligne.

CAPTURE DU CHEVESNE

DU PAIN
CROUSTILLANT
*Un morceau
de pain avec
de la croûte est
parfait : sa texture et
son goût sont appréciés
par les chevesnes et il tient
très bien à l'hameçon.*

1 PRÉPARATION DE L'ESCHE
*Piquez l'hameçon dans la croûte et faites ressortir
la pointe. Enroulez une partie de votre bas de ligne
autour de la croûte et sous la courbure de l'hameçon.
Poussez le pain afin que l'hameçon s'y enfonce.*

RENDRE DU FIL
*Je lance mon esche près des arbres et rend
du fil, c'est-à-dire que je donne juste ce
qu'il faut de ligne pour qu'elle soit tendue.*

2 LE LANCER
*Je lance, par un balancer sous la canne, le morceau
de pain au ras de la berge, là où se tiennent les
chevesnes. Avec ma canne, je m'arrange pour tendre
la ligne afin qu'elle ne forme pas un ventre qui, s'il est
pris par le courant principal, pourrait faire draguer
mon appât et éveiller la méfiance des poissons.*

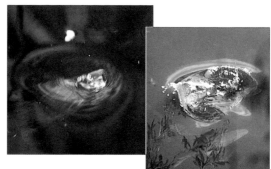

3 ILS ARRIVENT !
*Un chevesne de belle taille s'approche et donne
un coup de nez dans le morceau de pain (à gauche).
L'arrivée d'un autre poisson l'incite à gober l'esche
et à l'avaler (à droite) : il ne reste plus qu'à ferrer !*

UN FERRAGE RAPIDE
*Dès qu'un poisson se saisit
de l'appât, la ligne bouge
et je ferre sèchement.*

4 LE TRAVAIL DU POISSON
*Dès que la ligne est bien tendue, je ferre
sèchement en arrière. Ensuite, je m'arrange pour
amener le poisson le plus vite possible en amont,
afin qu'il n'effarouche pas le reste de la bande.
J'éloigne donc doucement, mais néanmoins fermement,
le chevesne de la berge.*

LA REMISE À L'EAU

1 L'ÉCHOUAGE
*C'est un beau poisson, mais pas
assez pour que j'aie envie de le sortir
de l'eau, que ce soit pour une photo ou
pour évaluer son poids. J'amène donc
le poisson dans une zone peu profonde
et attends qu'il ne bouge presque plus.*

2 LE DÉCROCHAGE
*Avec une pince et un hameçon
sans ardillon, le décrochage ne pose
pas vraiment de problème. Assurez-vous
que vos mains sont mouillées avant
de toucher le poisson : ainsi, vous
ne risquerez pas de le blesser.*

3 CE N'EST QU'UN AU REVOIR…
*Avant de le relâcher, j'observe
rapidement le poisson pour essayer
de repérer des marques — une blessure
due à l'attaque d'un héron, par
exemple — me permettant de le
reconnaître si je le capture à nouveau.*

LA PÊCHE DES SALMONIDÉS

Le monde du pêcheur à la mouche est particulièrement varié. Saumon, truite, ombre et omble habitent les plus beaux endroits qui soient : rivières chantantes ou lacs dans lesquels se reflètent de superbes forêts, des sommets enneigés ou un ciel sans nuage. Prendre ces poissons qui vivent dans des eaux claires et pures demande une maîtrise méticuleuse des techniques de pêche. L'hiver, même lorsqu'il ne pratique pas, le vrai pêcheur consacre une partie de son temps à monter des mouches artificielles pour la saison suivante en rêvant, auprès d'un bon feu de bois, au printemps qui s'annonce.

SAUVE-QUI-PEUT EN ALASKA

Ce saumon à bosse tente de regagner une zone profonde dans une petite rivière. Son œil exprime l'anxiété : les trois quarts de son corps émergent, et un ours pourrait bien l'apercevoir !

LA MIGRATION DES SAUMONS

Qu'ILS AIENT FESTOYÉ en mer un seul hiver ou cinq années durant, les saumons retournent un jour dans la rivière qui les a vus naître. Certaines espèces, comme le sockeye, meurent après avoir frayé et ne font donc qu'une seule fois le voyage. D'autres, comme les saumons atlantiques *(voir p. 88)*, peuvent frayer trois ou quatre fois dans leur vie.

Comment, après un aussi long séjour en mer, les saumons parviennent-ils à retrouver leur rivière d'origine ? Ce fabuleux sens de l'orientation est-il d'origine magnétique, olfactive, instinctive, ou d'une nature encore inconnue ?

Pour ceux que les chiffres intéressent, sachez que des chinooks de la rivière Yukon, en Alaska et au Canada, ont été marqués et qu'il a été possible de les suivre dans leur périple : ils ont parcouru 3 200 km en soixante jours. D'autre part, pour passer les chutes Orrin, en Écosse, les saumons atlantique font des bonds de 4 mètres.

Dès qu'ils sont en eau douce, les saumons cessent de se nourrir. Ils vivent sur les réserves de graisse accumulées lors de leur séjour en mer. Ours, aigles, loups, visons, loutres, martres et bien d'autres prédateurs attendent, avec autant d'impatience que les pêcheurs, l'arrivée des saumons.

LE VOYAGE D'UN SOCKEYE

Pour les Indiens du nord-ouest du Pacifique, le saumon était si important comme nourriture et élément de troc qu'ils l'ont appelé *saukie*, c'est-à-dire « chef des poissons ». Et, de fait, le sockeye est un miracle de la nature : ses remontées comptent parmi les plus beaux spectacles qu'il soit donné de voir.

1 **UNE VÉRITABLE COURSE**
Des cascades qui semblent infranchissables ne le sont pas pour un banc de saumons. Leurs larges nageoires et leur corps musclé, ainsi que leur inébranlable volonté d'aller de l'avant les propulsent par-dessus n'importe quel obstacle. Seuls les barrages que construisent les hommes peuvent les empêcher d'atteindre leur but.

▲ LE DANGER EST PARTOUT
Les saumons constituent une nourriture vitale pour de nombreuses espèces qui vivent au bord des rivières. Pour les ours, qui vont bientôt entrer en hibernation, c'est l'occasion de faire le plein de protéines. Ce sont de véritables experts pour la capture des saumons.

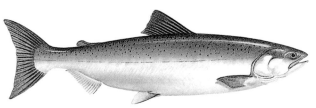

▲ SOCKEYE SAUVAGE
Dans la mer, le saumon offre un profil fuselé, musclé, grâce à un régime alimentaire très riche. Après son séjour en eau douce, sa robe argentée vire au marron et au rouge.

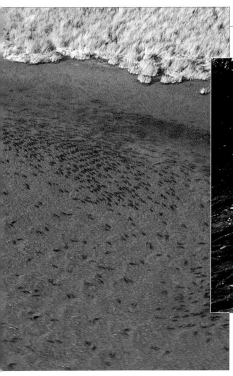

3 LA RIVIÈRE VIRE AU ROUGE
*Les sockeyes remontent frayer
entre juin et octobre. Ils couvrent
littéralement le fond de la rivière,
où les mâles se parent d'un corps
rouge vif et d'une tête verte.*

4 LE FRAI
*La femelle pond entre 2 500
et 4 000 œufs dans différents nids.
Les mâles les fécondent dès qu'ils
tombent sur le fond, entre les rochers.*

2 MULTITUDE
*Les sockeyes pénètrent
dans les rivières en grand
nombre. La quantité
de saumons entrant dans
la baie de Bristol, en Alaska,
en 1980, a été estimée à plus
de 60 millions d'individus !*

6 MISSION ACCOMPLIE
*Épuisés, les sockeyes
meurent quelques jours après
la ponte. Leurs cadavres
recouvrent le fond : ils seront
mangés ou viendront enrichir
le milieu en se décomposant.*

5 LE MÂLE DÉFEND SON NID
*Le mâle protège jalousement
sa zone de ponte. Ses mâchoires
menaçantes intimident plus
d'un adversaire !*

LA TRUITE ARC-EN-CIEL ET LA STEELHEAD

LA TRUITE ARC-EN-CIEL est l'une des vedettes de la pêche sportive. Sa robe magnifique se pare de toutes les couleurs du spectre solaire. Quant à la steelhead, c'est une truite arc-en-ciel américaine qui séjourne en mer. Les deux espèces sont réputées agressives et voraces.

LES ÉMIGRANTS ont été les premiers à découvrir et à apprécier cette espèce dans les rivières de l'Ouest américain, telles que la McCloud, en Californie. Des spécimens ont ensuite été introduits en Grande-Bretagne et dans le reste de l'Europe, puis dans le monde entier. En 1900, on trouvait des truites arc-en-ciel au nord de l'Inde et dans l'Himalaya, en Nouvelle-Zélande, en Australie et dans toutes les régions montagneuses d'Afrique. Ce poisson s'acclimate fort bien, s'adaptant aux conditions les plus hostiles comme aux proies locales.

▲ EN PLAN D'EAU
Les truites arc-en-ciel apprécient les eaux fraîches riches en nourriture. Ce lac de Nouvelle-Zélande abrite de très gros poissons. Il n'y a pas meilleur endroit pour passer une journée de pêche à la traîne.

◄ LA CÉLÈBRE TONGARIRO
La rivière Tongariro traverse le lac Taupo, en Nouvelle-Zélande. Sa réputation de rivière à truites arc-en-ciel date des années vingt, lorsque le célèbre pêcheur Zane Gray y réalisait des prises miraculeuses.

LA TRUITE ARC-EN-CIEL

Son régime alimentaire est très varié. Les œufs de saumon sont un de ses mets favoris, et elle se nourrit même de la chair des saumons morts après le frai. Elle apprécie les insectes aquatiques ainsi que les alevins ou les petits poissons, et attaque parfois les petits rats d'eau.

BANDES ROUGES
La truite arc-en-ciel se reconnaît facilement aux taches rouges qu'elle possède sur les opercules. La couleur s'étend par une bande sur les flancs et jusqu'à la queue.

FORME DU CORPS
Les poissons d'élevage ont souvent, comme celui-ci, un corps beaucoup plus massif que les sujets à l'état sauvage.

TRUITE ARC-EN-CIEL
Oncorhynchus mikiss

GUIDE APPROXIMATIF DES POIDS
POIDS MOYEN, EUROPE : 0,45 À 0,9 KG
ÉTATS-UNIS : 0,9 À 1,8 KG
POISSON RECORD, EUROPE : 14 KG
ÉTATS-UNIS : 23 KG

LA STEELHEAD

La steelhead est une truite arc-en-ciel qui migre en mer pour se nourrir et retourne en eau douce pour pondre. Elle tient son nom des reflets métalliques de sa tête et de son dos. Une autre différence notable avec l'arc-en-ciel, c'est qu'elle porte, au moment du frai, des bandes rose irisé des deux côtés du corps.

La steelhead est l'un des poissons les plus recherchés par les pêcheurs sportifs. Elle est en effet réputée pour sa défense spectaculaire comme pour sa ruse.

STEELHEAD *Oncorhynchus mikiss*
GUIDE APPROXIMATIF DES POIDS
POIDS MOYEN : 2,7 À 4,5 KG
POISSON TROPHÉE : 5,4 À 6,8 KG
POISSON RECORD : 18 KG

▼ DES REFLETS MÉTALLIQUES
Une steelhead qui arrive de la mer est une véritable barre d'argent. Ce n'est qu'après un long séjour en eau douce que l'intensité de ses reflets métalliques s'atténue. Une robe rougeâtre signe alors son appartenance à la famille des truites arc-en-ciel.

LES MIGRATIONS DE LA STEELHEAD

L'aire de répartition de la steelhead s'étend de la péninsule de l'Alaska jusqu'à Malibu Creek en Californie. Dans les nombreuses rivières de cette région, les remontées sont régulières tout au long de l'année.

Après l'éclosion des œufs, les steelheads passent leur deux ou trois premières années en rivière jusqu'à ce qu'elles aient atteint ce que les biologistes appellent le stade de « smoltification ». C'est un processus complexe de transformation qui leur permet de rejoindre l'océan. Après un à trois ans passés à se nourrir en mer, elles remontent dans les rivières pour frayer.

Contrairement aux saumons du Pacifique, les steelheads survivent au frai, et certains sujets migrent plusieurs fois au cours de leur existence. Avant que des barrages soient construits sur la rivière Columbia, elles parcouraient plus de 2 200 km pour atteindre leurs zones de frai.

LIGNE LATÉRALE
Les couleurs de l'arc-en-ciel s'étendent souvent autour de la ligne latérale.

NAGEOIRE ADIPEUSE
Une telle nageoire n'existe que chez les Salmonidés.

QUEUE TACHETÉE
La nageoire caudale est parsemée de points sombres, ce qui permet de différencier immédiatement la truite arc-en-ciel de la fario.

▲ MERVEILLEUSE COLOMBIE-BRITANNIQUE
Parmi les plus belles et les moins exploitées des rivières à steelheads, on trouve assurément celles de Colombie Britannique (Canada). Partout où les barrages, les exploitations forestières ou les mines n'ont pas dénaturé le paysage, les rivières aux eaux fraîches et oxygénées abritent toujours des steelheads. Là, elles peuvent facilement atteindre un poids de 10 kg.

PÊCHE DE LA TRUITE ARC-EN-CIEL

Pendant les chaudes journées d'été, la truite arc-en-ciel est souvent le seul poisson qui, dans les lacs profonds ou les plans d'eau artificiels, offre une opportunité de touche au pêcheur à la mouche. Mais cette truite est difficile à leurrer, et la présentation de la mouche devra donc être parfaite.

Dans ces conditions, tout est affaire d'observation. Il est capital de cibler son attaque sur un poisson en train de se nourrir plutôt que sur une truite inactive à cause de la chaleur.

Il convient ensuite de choisir la bonne mouche et de la présenter au bon endroit, sans effrayer le poisson. Tout un art !

▲ EN SURFACE…

Les truites arc-en-ciel sont très éclectiques dans leur régime alimentaire. Tout insecte tombé dans l'eau les attire, du moucheron à une énorme mouche de mai. Elles apprécient un type de petite mouche artificielle appelée buzzer et qui travaille juste sous la surface de l'eau.

▲ … ET AU FOND

Les truites arc-en-ciel fouillent aussi régulièrement les fonds de gravier, de vase ou les herbiers à la recherche de proies. Elles y trouvent des crevettes, des larves, des porte-bois et des nymphes. Elles sont connues pour se régaler des œufs de saumon, mais apprécient également ceux de toutes les autres espèces.

PARTIE DE PÊCHE EN LAC

Les dessins et les illustrations de ces pages montrent une partie de pêche dans un lac du Sussex, en Angleterre. Ce plan d'eau est de taille modeste, mais il abrite quelques beaux poissons. Quelques-uns nagent juste sous la surface, bouche ouverte, et gobent les insectes tombés à l'eau. Je les approche en me dissimulant derrière la végétation. Le but est d'épier le plus près possible un poisson en activité, puis de lui présenter ma mouche avec la plus grande délicatesse.

POSTES DE LA TRUITE EN LAC

Ce petit lac, bordé d'arbres, est alimenté par un cours d'eau qui le traverse. Sa surface n'excède pas un hectare. La profondeur maximale est de 2,5 m, et la zone est riche en herbiers. L'eau étant claire, il est possible de localiser les poissons avec précision.

▲ RECONNAISSANCE PRÉALABLE

Indispensables, les lunettes polarisantes vous aideront à détecter le poisson et à le suivre dans ses déplacements.

Truite nageant dans une zone peu profonde en bordure de nénuphars

0,9-1,2 m

2,1-2,4 m

Roseaux le long de la berge

Je lance, caché dans les buissons

Une zone d'eau claire au milieu des herbiers découvre un fond caillouteux

0,9-1,2 m

Truite au milieu des herbiers denses

Berge boisée

Truite patrouillant en bordure

Truite en poste près d'un bateau

LANCER EN DIRECTION DU POISSON

1 PRÉPARER LE LANCER

J'ai localisé le poisson que je souhaite prendre et je sais que je n'aurai qu'un ou deux lancers pour le faire, sinon je risque de l'effrayer. Il faut agir le plus près possible, de manière à être précis.

2 LA TOUCHE

Le poisson a vu la mouche, s'est retourné et immobilisé quelques secondes… Suspense ! Enfin, il ouvre sa large bouche et gobe la mouche. J'étais aux aguets, et ai pu ainsi ferrer rapidement, avec le maximum d'efficacité.

UN BEAU POISSON
Voici la truite que j'avais repérée… C'est toujours un plaisir d'attraper le poisson que l'on visait.

ATTRAPER LE POISSON

1 LE PLONGEON

Les truites arc-en-ciel ont deux tactiques de défense : soit elles sautent hors de l'eau, soit elles plongent vers le fond. C'est ce que fait mon poisson. Je contrôle ma soie, afin d'éviter que l'animal s'enfouisse dans les herbes et casse mon bas de ligne.

2 ELLE CÈDE

Dans des eaux très chaudes, la défense de la truite arc-en-ciel reste puissante, mais brève. Après deux tentatives de plongeon dans les herbes et trois rushes, le poisson arrive en surface, essayant de s'oxygéner, et je sais qu'il est désormais vaincu. Il s'agit à présent de le ramener en bordure.

3 PRÊT À LA RELÂCHER

Dès que votre poisson a la tête hors de l'eau, vous pouvez le tirer à vous. À condition d'avoir utilisé un hameçon sans ardillon, il suffit de le secouer doucement pour le décrocher, et la truite peut alors tranquillement regagner son élément.

LA PÊCHE DE LA TRUITE DE MER

L ES MEILLEURS PÊCHEURS de truite de mer sont des gens obsédés par leur objectif ! Capturer régulièrement des grosses truites de mer demande un investissement total, une grande expérience et, par-dessus tout, un sixième sens pour cet animal.

Croyez-moi, il n'existe pas poisson plus passionnant à pêcher : la truite de mer est un vrai fantôme argenté qui surgit pendant les marées, souvent en pleine nuit. Le pêcheur devra donc adopter les mœurs nocturnes du hibou…

LA PÊCHE EN MER

La truite de mer peut tout à fait être pêchée en eau salée. Dans ce cas, le principal problème est la localisation du poisson. Pour couvrir le maximum de terrain, la pêche à la traîne est conseillée *(voir p. 117).*

Beaucoup de gens considèrent la pêche à la traîne comme une technique ennuyeuse, mécanique ; pourtant, traîner correctement n'est pas si facile. Il faut choisir son leurre avec le plus grand soin, puis trouver la bonne vitesse de traîne et la profondeur optimale. En récompense, c'est souvent un très beau spécimen qui est au rendez-vous !

▲ CHASSER LA TRUITE DE MER
Deux bateaux traînent des leurres dans l'espoir de tenter une grosse truite de mer. Les poissons, qui arrivent tout juste de la mer Baltique, chassent dans les bancs de gardons et de perches.

LA PÊCHE DEPUIS LA CÔTE

Pendant leur séjour en eau salée, les truites de mer ne s'éloignent jamais beaucoup des côtes, où elles trouvent crabes mous, lançons, arénicoles et petits poissons. Il est alors opportun de pêcher de la côte, en se déplaçant de façon à apercevoir tout poisson venant en surface pour chasser des proies. Recherchez en priorité les arrivées d'eau douce et les fonds couverts d'algues.

La cuiller est alors particulièrement efficace : utilisez un modèle de petite taille, argenté ou doré. Vous pouvez aussi tenter votre chance au poisson-nageur : travaillez-le en surface, dans les zones d'eau calme, la nuit ou au crépuscule. La pêche aux appâts naturels, au poisson mort, peut vous réserver des surprises : travaillez un petit poisson près de la surface, ou laissez-le couler au fond, et animez-le sur place.

▼ VICTOIRE !
Cette magnifique truite de mer a été prise sur les côtes de la Baltique. Ce fin pêcheur l'a attrapée avec une petite cuiller tournante, à très peu de distance de la côte, où le poisson était en train de se nourrir de crabes et d'alevins de poissons plats.

▲ LANÇONS
Les lançons sont l'un des mets préférés, parfois même exclusifs, des truites.

▲ UNE IMITATION PARFAITE
Ces leurres en plastique assez réussis peuvent être lancés loin et ramenés rapidement. La touche est toujours violente.

▲ UN GRAND CHOIX DE COULEURS
La robe argentée des lançons n'implique pas une imitation à l'identique. Les leurres rouges, bleus ou verts sont aussi efficaces.

L'AVAL DES COURS D'EAU

Les truites qui viennent de quitter la mer étant extrêmement farouches le jour, il est conseillé de les pêcher la nuit.

Les pêcheurs divisent la pêche de nuit en quatre phases : la première va du crépuscule à minuit, la deuxième de 0 h 30 à 1 h 30, la troisième jusqu'aux premières lueurs du jour et la dernière lorsque le soleil s'est levé. Dans la première phase, utilisez de grosses mouches et travaillez-les lentement, dans la deuxième, des leurres qui permettent de pêcher en profondeur. Ensuite, on aura plus de chances avec une grosse mouche flottante, provoquant une spectaculaire attaque en surface.

▶ UN POOL DE RÊVE
Tout pêcheur de truite de mer rêve d'un pool de ce type. La cascade arrête les poissons, que l'on trouvera en grand nombre en aval de la chute d'eau.

▲ VENUE DE LA MER
Une grosse truite de mer, tout juste arrivée de la mer, se dirige vers les eaux douces de la rivière. Bien qu'elle soit en pleine migration et ait cessé de se nourrir, il est tout à fait possible de lui faire prendre une mouche bien présentée.

◀ MOUCHE POUR LA PREMIÈRE PHASE
Le soir, essayez une mouche peu fournie et montée sur un gros hameçon, imitant un petit poisson en fuite.

SILVER BLUE

EN AMONT

Lorsque la truite est dans la rivière depuis quelques jours ou quelques semaines, elle remonte vers les zones peu profondes, aux eaux claires, et devient alors de plus en plus méfiante. Il faut alors être très discret et pêcher avec des mouches de petite taille.

Bien qu'on pêche encore beaucoup de nuit, de nombreux pêcheurs constatent qu'il est possible de prendre des poissons en plein jour, lorsqu'on peut les voir facilement, attendant au calme dans les pools profonds d'aller plus en amont. De temps en temps, ils viennent cependant se poster dans des veines de courant rapide.

Pour la pêche dans les pools, essayez de lancer, au milieu du banc, une mouche plongeante et sombre. Certains poissons s'agiteront et vous pourrez enregistrer une touche immédiate.

▶ UNE ZONE DE REPOS PARFAITE
En plein jour, un pool lent et profond entouré d'arbres est une zone de repos pour les truites de mer. Mais leur langueur ne doit pas vous décourager !

▲ PÊCHEZ DANS LES RADIERS
Les truites de mer, qui migrent le plus souvent la nuit, doivent passer les radiers, où elles se tiennent aussi parfois la journée. Pêchez avec une petite mouche noyée en travers du courant.

◀ VOYEZ PETIT
Plus vous montez en amont, plus vous utiliserez des mouches de petite taille. Les modèles ci-contre sont de minuscules mouches sèches montées sur des hameçons n° 16.

KATE MCLAREN

MULLARD ET CLARET

LA PÊCHE DE L'OMBLE ARCTIQUE

ELUI QUI SOUHAITE capturer l'omble arctique doit s'attendre à remonter très haut dans l'hémisphère Nord, à la rencontre des grands lacs froids qu'il fréquente, formant des populations nombreuses. Vous vivrez des moments inoubliables si ce poisson vient prendre la mouche en surface, mais, dans la plupart des cas, la pêche à la traîne s'impose *(voir p. 117)*.

Cette technique peut en séduire certains, mais convenons qu'il en existe bien d'autres plus passionnantes pour capturer ce poisson. Pour moi, il n'y a rien de mieux que pêcher l'omble en rivière. La période privilégiée est celle où ces poissons remontent le courant, en période de frai, bien que l'on rencontre souvent des ombles de lac qui remontent également. En rivière, les ombles ont une défense explosive, et c'est une pêche dont je ne me lasse jamais.

▲ TOUT EN FORCE
Les ombles arctiques ont une bonne défense en lac, mais c'est en rivière qu'on peut vraiment l'apprécier, surtout lorsqu'on a la chance de toucher des poissons qui arrivent de la mer. Ils se défendent avec force et vitalité.

▲ LE MEILLEUR, TOUT SIMPLEMENT
Prendre un omble tel que celui-ci devrait être le rêve de tout pêcheur en eau douce. Ses couleurs sont magnifiques, et admirez ses nageoires aux rebords blancs, caractéristiques de la famille des ombles.

PÊCHE ET AVENTURE

Le dessin et les photos suivantes montrent Johnny Jensen et moi-même pêchant l'omble arctique dans une rivière du Groenland. La civilisation et l'omble arctique ne font pas bon ménage, et il ne faut pas hésiter à aller dans des régions complètement désertiques pour espérer capturer un gros spécimen. Le Groenland est presque entièrement recouvert par les glaces, mais de superbes pêches d'ombles sont possibles dans les petites rivières qui se jettent dans l'océan Arctique.

UN ENDROIT IDÉAL POUR L'OMBLE

Qu'est-ce qui fait l'attrait de ce pool pour les ombles ? Année après année, ils s'y concentrent en grand nombre. Il est possible qu'ils y fraient ou qu'ils s'en servent comme lieu de repos pendant leur voyage en eau douce.

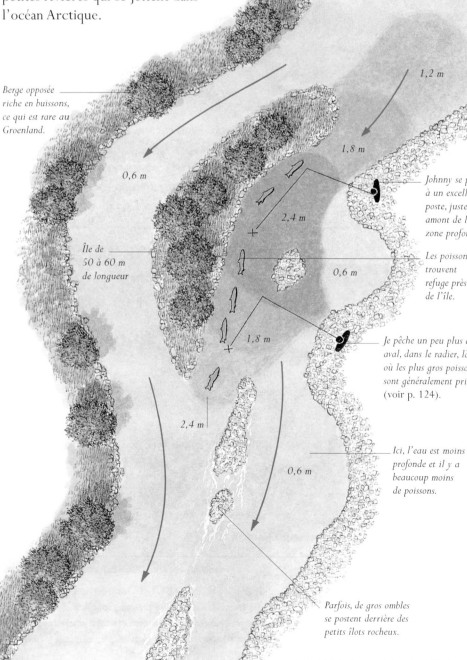

Berge opposée riche en buissons, ce qui est rare au Groenland.

0,6 m

1,2 m

1,8 m

0,6 m

Île de 50 à 60 m de longueur

2,4 m

0,6 m

1,8 m

2,4 m

0,6 m

Johnny se place à un excellent poste, juste en amont de la zone profonde.

Les poissons trouvent refuge près de l'île.

Je pêche un peu plus en aval, dans le radier, là où les plus gros poissons sont généralement pris (voir p. 124).

Ici, l'eau est moins profonde et il y a beaucoup moins de poissons.

Parfois, de gros ombles se postent derrière des petits îlots rocheux.

AU CŒUR DE LA NATURE

▲ UN PAYSAGE GRANDIOSE
*Le Groenland est l'île la plus vaste du monde, mais
la plus grande partie de sa surface est recouverte par les
glaces. Il est très difficile de circuler : il n'y a quasiment
aucune route et les plus longs déplacements se font
surtout par la mer. Une fois à terre, les chevaux ou les
mulets prennent le relais en été, et les chiens de traîneau
en hiver. Le ciel et l'air sont très purs et il est possible
de voir à une très grande distance.*

▲ DES RIVIÈRES ENCHANTERESSES
*Pêcher au Groenland, c'est communier avec la nature !
Les montagnes immenses et les vallées imposent l'humilité
au pêcheur. Les seuls sons audibles sont ceux du
ruissellement de la rivière, du chant des oiseaux,
et du meuglement occasionnel d'un bœuf musqué.*

EN AMONT DES RIVIÈRES

1 LA PÊCHE DANS LES RADIERS
*Les ombles arctiques se rassemblent souvent
dans les radiers (zones où l'eau est peu
profonde, rapide et oxygénée). Ils stationnent
en queue de radier, là où le courant ralentit
un peu et où la profondeur augmente. Soignez
votre approche et lancez avec discrétion.*

2 UN POISSON EST AU BOUT ! ▼
*Johnny présente une petite nymphe juste
sous la surface. Il ne lui faut pas longtemps pour
piquer un omble belliqueux de presque 2 kg.
La touche est fulgurante et, sur son premier
rush, le poisson vide complètement la soie et une
partie du backing (la réserve) du moulinet.*

3 REGARDEZ VOTRE POISSON
*La clarté des rivières du Groenland est telle qu'il
est possible de suivre son poisson du regard, même par
deux mètres de fond. La tâche du pêcheur s'en trouvera
facilitée, car aucune des ruses de l'animal pour tenter
de se libérer ne saurait lui échapper.*

4 JUSTE POUR LA PHOTO
*Ces beaux poissons sont si fragiles
qu'un séjour trop long hors de l'eau
leur serait fatal. Vous pouvez en tuer
un pour le repas du soir, mais relâchez
les autres aussi vite que possible.*

LA PÊCHE AUX APPÂTS NATURELS

Il y a un plaisir unique à pêcher avec des appâts naturels, et c'est souvent la simple joie du travail bien fait. Mais ce chapitre est beaucoup plus ambitieux que cela. Dans le passé, on distinguait nettement la pêche aux leurres, réservée à la pêche sportive (aux carnassiers et aux Salmonidés), et la pêche aux appâts naturels, pour les autres espèces de poissons (Cyprinidés). Je ne fais pas cette distinction, et vous trouverez dans ce livre comment pêcher l'esturgeon à la mouche, le saumon aux vers de terre ou la perche-soleil aux leurres. Enfin, j'ai regroupé ici certaines espèces parce qu'il est plus courant de les pêcher avec des appâts naturels.

UN COUP AU SOLEIL COUCHANT

Les anguilles font partie de ces centaines de poissons de pêche aux appâts naturels qui quittent leur repaire au crépuscule pour chasser. Ici, un pêcheur se prépare à une partie de pêche à l'anguille nocturne.

LA CARPE

Selon les pays, la carpe n'a pas du tout la même réputation.
En Amérique et en Australie, elle est considérée comme un animal nuisible,
trop prolifique, dénaturant l'habitat dans lequel elle vit. En Europe,
en revanche, c'est un poisson très apprécié et tout est fait pour augmenter
sa population et la préserver des pêcheurs indélicats.

Heather, Herman, Sally, Eric : eh oui !
En Angleterre, les pêcheurs de carpe
donnent un nom à leur prise avant de les
relâcher… Pourquoi les Européens
apprécient-ils autant ce poisson ? Bien sûr,
la carpe est une rude combattante, mais, par-
dessus tout, elle est très intelligente. C'est
sans doute l'espèce qui apprend le plus vite
à se méfier d'un piège un peu trop grossier.

Il est facile d'observer comment une carpe
déjà expérimentée « teste » un appât avec ses
nageoires afin de détecter l'éventuelle
présence d'une ligne. Elle peut très bien
prendre l'appât en bouche et le recracher
si elle sent la présence d'un hameçon !

▲ LAC ARTIFICIEL…
*Les carpes apprécient les étangs peu
profonds aux eaux chaudes. Beaucoup
d'entre eux ont été creusés dans les siècles
passés par les moines qui élevaient les
carpes pour leur chair.*

◀ … ET LAC NATUREL
*Pour les pêcheurs de carpe, les grands
lacs de ce type sont auréolés de mystères.
Des carpes géantes hantent peut-être
leurs profondeurs, peu explorées, en Asie
ou dans l'est de Europe.*

L'ANATOMIE DE LA CARPE

Toutes les espèces de carpes ont
une vue et un sens olfactif bien
développés. Elles sont très
résistantes et peuvent survivre
dans des étangs presque asséchés
ou gelés. Lorsqu'on les introduit
dans un nouveau milieu, les
carpes s'adaptent toujours
facilement et se reproduisent
en grand nombre.

LÈVRES CHARNUES
*Les lèvres des carpes sont
charnues et très sensibles.
Les os des joues sont assemblés
de telle façon que lorsque
la carpe ouvre la bouche,
les lèvres sont littéralement
projetées vers l'avant.*

BARBILLONS
*Les barbillons servent
à repérer les proies
dans les fonds
de vase.*

▶ UN ASPIRATEUR
*Les lèvres de la carpe sont
protractiles, et sa force
de succion lui permet
d'aspirer des proies, parfois
assez lourdes, même si elles
sont à plusieurs centimètres
de ses lèvres.*

L'HABITAT DE LA CARPE

La carpe est considérée comme un poisson de rivière lente ou de lac profond. Dans les fleuves, elle a tendance à se cantonner dans les zones d'eau calme et les grands trous profonds. Pourtant, elle remonte parfois les courants rapides à la recherche de la même nourriture que les barbeaux et les truites !

La carpe aime les eaux chaudes. Pour frayer, elle a besoin que la température de l'eau atteigne 15 à 20 °C. C'est donc dans les étangs peu profonds et riches en herbiers que le taux de reproduction est le plus élevé. Dans les grands lacs (type lac de barrage), la carpe recherche les baies moins profondes où l'eau se réchauffe dès le printemps. On ne la trouve jamais très loin de bancs d'herbiers, d'arbres immergés ou d'obstacles divers. Enfin, on la rencontre dans les eaux saumâtres de la côte de la mer Baltique.

▶ SOUS LES BRANCHES IMMERGÉES

Toutes les carpes sont des poissons méfiants. Un arbre ou des branches immergés leur assurent une protection idéale. C'est un poste qu'elles apprécient particulièrement en hiver : ainsi abritées, elles ne bougent quasiment pas jusqu'au printemps et restent dans un état semi-comateux pendant près de trois mois.

▲ ELLES AIMENT FOUILLER LES DÉBRIS

Les carpes sont très curieuses et fouillent le fond partout où elles se trouvent. Elles explorent les moindres débris, comme les matériaux de construction tombés à l'eau. Elles retournent une brique sans aucun problème si elles pensent dénicher dessous une bonne quantité de larves aquatiques.

▲ HORS DES HERBIERS

Les carpes utilisent les herbiers comme une zone de reproduction, un abri contre la chaleur en été et un garde-manger. Si les herbiers sont très denses, les carpes forcent le passage et créent de véritables tunnels.

ÉCAILLES

Il existe trois grandes catégories de carpes reconnaissables à la disposition de leurs écailles : les communes, complètement recouvertes d'écailles, les cuirs, qui n'en possèdent pas, et les miroirs (dessin à droite) qui ont de larges écailles dispersées sur le corps.

TOUT EN PUISSANCE

L'ensemble queue et nageoire caudale de la carpe est un véritable propulseur très puissant.

CARPE-MIROIR
Cyprinus carpio
GUIDE APPROXIMATIF DES POIDS
POIDS MOYEN : 4,5 À 6,8 KG
POISSON TROPHÉE : 9 KG
POISSON RECORD : 32 KG

QUEUE
La carpe doit beaucoup de sa puissance à sa queue large et musclée.

NAGEOIRE CAUDALE
Chez toutes les espèces de carpes, cette nageoire est fourchue et ses lobes très arrondis.

PÊCHE DE LA BRÈME ET DE LA TANCHE

C'EST SURTOUT EN ÉTÉ que la pêche de la brème et de la tanche est la plus productive : les deux espèces cessent de s'alimenter en période de vent froid ou de pluie. La brème entre souvent en activité la nuit ; elle commence à se nourrir aux dernières lumières du jour et ne s'arrête qu'à l'aube. La tanche a un comportement moins nocturne : il est fréquent de la voir s'alimenter de l'aube à la fin de la matinée.

Pour repérer ces poissons, il convient de scruter attentivement la surface de l'eau. Les poissons signalent leur présence par des bulles en surface ou des sauts plus ou moins prononcés. Choisissez en priorité les endroits où une zone d'eau libre est bordée par des bancs de nénuphars ou de joncs.

N'hésitez pas à enlever des herbes lorsqu'elles sont trop envahissantes. Les pêcheurs utilisent des outils spécifiques, mais un râteau peut suffire *(voir ci-dessous)*. Ce dernier présente en plus l'avantage de remuer le fond et de libérer des larves enfouies dans la vase.

Ensuite, l'amorçage : chènevis, riz, blé ou maïs sont excellents. Seule l'expérience vous dira s'il vous faut amorcer quelques heures, jours ou semaines à l'avance.

PÊCHE DE LA BRÈME

La brème se pêche généralement sur le fond. Il est possible d'utiliser un plomb en bout de ligne *(voir p. 136)*, mais le feeder est beaucoup plus efficace *(voir p. 178)*. Le maïs, les asticots, les casters, la mie de pain ou les vers de terre (coupés ou pas) sont tous d'excellents appâts pour la brème.

Ce poisson est très sensible, et s'il sent la moindre résistance, il recrache l'appât immédiatement. Un hameçon de petite taille et un long bas de ligne sont très importants pour inciter la brème à avaler.

Il est fréquent de voir la brème monter en surface sur le coup. Elle provoque alors des « touches de ligne » (un poisson qui tape dans la ligne mais qui ne s'est pas saisi de l'esche). Ne ferrez alors surtout pas, car tout le banc, effarouché, pourrait s'enfuir et ne jamais revenir.

▲ LA MISE À L'ÉPUISETTE
L'arrivée à l'épuisette d'une jolie brème est toujours un moment critique. L'hameçon est rarement profondément piqué et il arrive que le poisson se décroche par un simple coup de tête. Choisissez donc une large tête d'épuisette.

▼ TRAVAIL DU POISSON
Le poisson monte en surface pour la première fois. La brème peut aspirer de l'air, ce qui vous aidera. En effet, l'air aura tendance à la faire flotter et elle aura plus de mal à regagner le fond.

▲ ÉLIMINER LES HERBIERS
Aménager une zone libre au milieu d'un herbier est parfois un préalable obligé pour pêcher la brème ou la tanche. Mon ami Nick et moi-même avons nettoyé notre coup tôt le matin afin de le laisser reposer jusqu'au soir. Pour couper les herbes nous avons traîné sur le fond une sorte de lame en forme de boomerang, aux deux extrémités reliées à une corde solide.

LA PÊCHE DE LA TANCHE

L'illustration et les photos suivantes montrent comment j'ai pris une tanche lors d'une partie de pêche en été dans un lac privé. La pêche de la tanche se pratique surtout le soir. Ce jour-là, j'ai décidé de tenter ma chance au flotteur avec du pain, des asticots et des lombrics. La tanche étant un poisson peureux, je suis resté assis, dissimulé derrière la végétation de bordure.

LAC PRIVÉ

Les lacs de ce type sont de véritables paradis pour les tanches qui trouvent dans la vase des vers et des moules d'eau douce en abondance.

Banc de nénuphars assurant une bonne couverture aux tanches

1,2 m

0,9 m

Fond constitué principalement de sable et de feuilles mortes

1,5 m

Roseaux en zone peu profonde

Arbres tombés dans l'eau

Tanches résidant près d'un banc de nénuphars

Je pêche d'ici, caché derrière des roseaux

Je lance l'appât à mi-chemin entre le banc de nénuphars et la berge

Canal de sortie

UNE PARTIE DE PÊCHE ESTIVALE

1 L'AMORÇAGE
Pour inciter les tanches à se nourrir, je lance des appâts à l'aide d'une fronde. Du pain, du maïs doux ou des asticots devraient convenir.

2 OBSERVER
Je lance mon flotteur et attends. Bientôt, des petites bulles viennent crever la surface, ainsi que des nuages de vase qui remontent autour du flotteur. C'est le signe que les tanches commencent à s'alimenter.

3 NE PAS FERRER TROP TÔT
Le flotteur commence à bouger, mais, avec la tanche, il convient de ne pas se précipiter et de lui accorder quelques secondes avant de ferrer. J'attends que mon flotteur disparaisse sous la surface, puis je ferre avec vigueur.

MISE AU SEC ET REMISE À L'EAU

1 COMBATTRE UNE TANCHE
Une fois piquée, la tanche cherche à se réfugier dans les nénuphars ou dans un herbier. Je l'en empêche en tirant fermement sur la ligne. La bouche de la tanche est plus solide que celle de la brème ; les risques de décrochage sont donc moins grands.

2 REMISE À L'EAU EN DOUCEUR
Je relâche toujours immédiatement la tanche après sa capture, surtout en été lorsque l'eau est peu oxygénée. Je maintiens le poisson dans cette position avant de le libérer. Il est fréquent que la tanche reste ensuite immobile plus d'une heure en bordure. C'est sa façon de regagner des forces.

LA PÊCHE DES CRAPETS

LES CRAPETS sont les poissons favoris de bien des pêcheurs. Peut-être est-ce dû à des souvenirs d'enfance, mais cette explication est insuffisante. Ainsi certains vont jusqu'à affirmer que le crapet-arlequin est l'un des poissons les plus difficiles à attraper, plus difficile par exemple que la truite fario ou la steelhead !

Il est possible de pêcher les crapets avec pratiquement toutes les techniques de pêche recensées dans les ouvrages spécialisés. Vous pouvez utiliser les jigs *(voir p. 58)*, tous les types de leurres *(voir p. 174)*, y compris les leurres souples, les streamers et toutes les formes de cuillers. Mais vous pouvez aussi pêcher à la traîne avec de petits poissons-nageurs *(voir p. 81)*, à la mouche artificielle, avec des appâts naturels morts ou vivants (poissons, insectes, larves, écrevisses, mollusques…) : la liste est infinie.

En conséquence, le pêcheur de crapet qui prétendrait avoir essayé tous les appâts, tous les leurres, et épuisé toutes les techniques de pêche… n'existe pas !

LES APPÂTS NATURELS

Les vers de terre sont de bons appâts pour les crapets. Vous pouvez pêcher en plombée sur le fond, en animant le ver par de petits coups secs de la pointe de la canne, ou à n'importe quelle profondeur avec une ligne équipée d'un flotteur. Il faut exploiter chaque poste lentement, en prenant bien soin de ne pas effaroucher les poissons.

Les petits poissons sont aussi d'excellents appâts, aussi bien vivants que morts, ainsi que crevettes et écrevisses *(voir p. 67)*.

Si vous utilisez un flotteur, ne soyez pas surpris de le voir se soulever à la touche, car les mariganes attaquent souvent de bas en haut. Ne vous attendez jamais à des touches brutales : ferrez sur tout comportement anormal du flotteur ou de la ligne.

▲ GOBAGE EN SURFACE
Il arrive que le crapet-arlequin vienne gober des insectes tombés accidentellement en surface. Les sauterelles et les criquets sont ses mets préférés : attrapez-les donc vous-même dans un pré et piquez-en un à l'hameçon. Vous pouvez aussi essayer les éphémères, les trichoptères…

▲ TOUJOURS COMBATIF
Les crapets sont petits, mais ils ont une excellente défense. Il faut utiliser des lignes et des hameçons très fins pour réussir à les faire mordre, mais le reste du matériel doit être suffisamment solide pour sortir un poisson qui s'est engouffré dans un obstacle.

◄ LE VRAI PLAISIR DE LA PÊCHE
Il n'est pas besoin d'attraper un poisson monstrueux pour éprouver l'excitation de la pêche : même les petits poissons peuvent livrer un rude combat. Très souvent, d'ailleurs, la lutte avec un petit poisson sur ligne légère et canne fine est plus amusante que celle avec des poissons plus gros sur des lignes à leur mesure.

▲ ESSENTIEL : LE BATEAU
Un bateau permet de s'approcher au plus près des endroits encombrés où vivent les crapets. Les branches ou les arbres immergés, difficiles à voir du bord, peuvent être exploités uniquement en bateau. Soignez toutefois votre approche : le moindre bruit pourrait effrayer les crapets.

LA PÊCHE À LA MOUCHE

Comme tous les poissons, les crapets sont capables de se méfier d'un leurre après quelques expériences malheureuses. C'est le moment de leur proposer quelque chose de plus convaincant. Des mouches artificielles, disponibles dans le commerce, sont alors bien utiles.

Les crapets vivant surtout dans les herbiers et aux abords des buissons ou des branches immergés, les mouches doivent imiter les petits animaux qui les habitent : larves d'insectes, vairons et crevettes d'eau douce.

Laissez lentement couler la soie puis animez la mouche par de courtes et sèches saccades. Faites de fréquentes pauses : elles incitent à mordre un crapet qui suit une mouche sans l'attaquer. Les jours de grande chaleur, utilisez des nymphes plombées, de manière à aller chercher les poissons dans les couches d'eau profondes, plus fraîches.

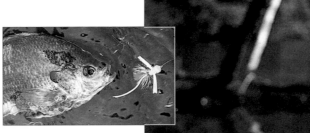

▲ ULTIME TENTATIVE
Le poisson cherche à regagner les obstacles. C'est un moment crucial : si votre matériel est bien adapté et de bonne qualité, la prise est bientôt à vous.

▶ PRISE EN MAIN
Les crapets sont des poissons délicieux. Si vous souhaitez les manger, gardez vos prises au frais, sinon relâchez-les avec beaucoup de précautions.

▶ TOUJOURS EN ÉVEIL
Certains poissons inspectent toujours la proie éventuelle avant d'attaquer. Faites appel à votre imagination et apprenez à travailler la mouche pour qu'elle ait l'aspect le plus naturel et le plus séduisant possible.

◀ SUCCÈS TARDIF
Plus la journée avance et plus les crapets sont immobiles. Si vous les voyez monter en surface mais qu'aucun insecte ne semble voler dans la zone, c'est sans doute qu'ils viennent prendre des larves juste sous la surface. Il faut alors pêcher à la mouche avec une imitation de chironome.

LA DANDINE

La pêche à la dandine au beau milieu des obstacles est l'une des plus efficaces (*voir p. 58*). Vous pouvez dandiner une petite cuiller étudiée pour ce type de pêche, qui tourne sur elle-même lorsqu'elle descend vers le fond. Les petits jigs en plastique souple sont aussi excellents (*voir p. 174*).

L'art de cette pêche tient dans le travail du leurre, au plus près des obstacles. C'est encore plus important lorsque les eaux sont froides, les crapets étant alors immobiles une grande partie de la journée.

▶ L'ŒIL AUX AGUETS
Il ne faut jamais perdre le contact avec votre appât ou votre leurre. C'est pour cela qu'un flotteur est très pratique : il vous signalera la moindre touche. Le flotteur permet en outre de présenter un appât juste au-dessus du fond, là où se trouvent le plus souvent les crapets. Il vous donne aussi une indication précise sur la profondeur, bien utile pour pêcher à la dandine.

MATÉRIEL
ET
ACCESSOIRES

MALGRÉ LES HISTOIRES de jeunes
pêcheurs débutants qui réussissent
à capturer un poisson record avec une
canne en roseau et une épingle recourbée
en guise d'hameçon, disposer d'un
matériel moderne et performant est très
important. Seuls les pêcheurs inconscients
n'y portent aucune attention : il n'y a rien
de pire que de perdre le poisson de votre
vie à cause d'un matériel inadapté.
En revanche, quoi de plus agréable que
de pêcher avec un équipement dans lequel
on a entière confiance, quelles que soient
les circonstances. Sélectionner une canne
à pêche, c'est comme choisir son
épouse : c'est pour la vie !

PÊCHER EN CONFIANCE

*Posséder une bonne canne et un bon moulinet, ainsi que des accessoires
de qualité, vous apportera de réelles satisfactions. Votre matériel doit vous
donner du plaisir et être parfaitement adapté à vos conditions de pêche.*

LEURRES SOUPLES ET CUILLERS

Les leurres souples sont fabriqués dans une sorte de plastique caoutchouteux et adoptent une multitude de formes et de couleurs. Ils sont excellents pour le black-bass, la perche, le chevesne, la truite, le brochet, le sandre, le doré jaune, l'aspe…

Des leurres souples imitent des vers, des lézards, des écrevisses, des larves, des grenouilles, des petites souris… Comme ils sont très légers, ils ne font pratiquement pas de bruit lorsqu'ils touchent l'eau. C'est un avantage, avec des poissons aussi craintifs que le chevesne ou la perche.

▶ IMITER LA NATURE
Quoi de plus tentant pour le brochet qu'une petite grenouille nageant au milieu des feuilles de nénuphars ? Le leurre, sur la photo ne semble-t-il pas prêt, lui aussi, à bondir ?

▲ GOÛTER POUR VOIR
La perche est l'une des nombreuses espèces qui adorent les leurres souples. Leur consistance est si proche de celle d'une proie que les carnassiers les sucent souvent longuement avant de les engloutir.

▶ ATTRACTION FATALE
Un banc entier de perches vient à la découverte du leurre.

CUILLERS ONDULANTES

Ces cuillers sont constituées d'une palette en métal. Lorsqu'on les ramène ou qu'on les traîne, elles ondulent, provoquant des éclairs de lumière qui éveillent inévitablement l'attention des prédateurs.

La cuiller ondulante type est assez lourde et permet d'aller chercher les poissons près du fond. Un moulinet à tambour fixe correspond à ce type de pêche *(voir p. 171)*. Il suffit de lancer la cuiller, puis de laisser le pick-up ouvert jusqu'à ce que celle-ci touche le fond. On referme ensuite le pick-up et on commence à récupérer.

Comme la plupart des leurres, la cuiller ondulante est reliée à un bas de ligne en acier, puis à la ligne principale par l'intermédiaire d'émerillons. Ces derniers doivent être d'excellente qualité, sinon la ligne risque de vriller et de provoquer des emmêlements (les « perruques »).

▲ UN VÉRITABLE RÉFLECTEUR
Les bonnes cuillers sont très brillantes. Lorsque le soleil resplendit, n'hésitez pas à utiliser un grand modèle à palette large et argentée, de manière à augmenter le pouvoir attractif du leurre.

HÉRON

ATLANTIC

HEDDON MOSS BOSS

◀ TROIS MODÈLES
Une bonne cuiller ondulante doit être visible et émettre suffisamment de vibrations pour attirer l'attention des prédateurs. Il est indispensable de disposer d'un large échantillon de tailles et de couleurs, de façon à prospecter toutes les couches d'eau.

CUILLERS TOURNANTES ET DEVONS

Ce type de cuiller possède une palette montée sur un cavalier qui lui permet de tourner librement autour d'un axe central. La simple résistance de l'eau sur la palette suffit à la faire tourner, ce qui provoque des éclats lumineux et des vibrations. L'angle de la palette et la vitesse de récupération conditionnent la vitesse de rotation de la cuiller. C'est l'une des clefs du succès, ainsi que le choix de la couleur et du revêtement (lisse, martelé, poli, pointé).

Les vibrations émises par la palette sont captées par la ligne latérale du poisson qui n'hésite pas à quitter son poste pour voir de quoi il s'agit *(voir p. 17).* Les éclats lumineux, les mouvements désordonnés du leurre imitent un poisson blessé ou une écrevisse et provoquent alors un réflexe d'attaque du carnassier.

CUILLER TOURNANTE
DEVON
GOLD WING

▲ CUILLER TOURNANTE ET DEVON
La cuiller Quimperloise a révolutionné la pêche du saumon au leurre. La jupette en caoutchouc (rouge ou noir), qui recouvre l'axe central et le triple de queue, est très efficace, tout comme celle de la Gold wing. Le devon est l'un des leurres les plus anciens et les plus populaires.

▼ MULTIPLIER LES ESSAIS
Achetez une panoplie complète de cuillers avec les modèles les plus courants, puis forgez votre propre expérience.

DES POSSIBILITÉS INFINIES

L'inventivité dans le domaine du leurre ne connaît pour seule limite que l'imagination des pêcheurs. Il en résulte une multitude de spécimens imitant, parfois à la perfection, toutes les proies que les prédateurs rencontrent dans la nature.

Vous pouvez acheter des sauterelles en plastique, des imitations d'anguille ou des leurres flottants représentant une souris. Vous pouvez d'ailleurs les confectionner vous-même. C'est une satisfaction intense que de capturer un poisson avec un leurre qu'on a soi-même imaginé.

▲ LES DENTS
DE L'EAU DOUCE
Rien n'est plus excitant que de prendre un gros poisson sur un leurre de surface qui imite un petit animal. L'attaque est toujours violente et les loupés nombreux, car le carnassier est aussi excité que vous !

▲ PETITE SOURIS
Brochet, maskinongé, truite, chevesne, taimen, aspe et bass : tous les carnassiers seront intéressés par une petite souris artificielle maintenue en mouvement constant.

MOUCHES ARTIFICIELLES

VOUS POURRIEZ vous demander quelles associations de plumes, de poils et de tinsel pourraient séduire un poisson aussi malin que la truite. Et pourtant, une mouche artificielle bien présentée est quasiment irrésistible pour bon nombre d'espèces. On peut diviser les mouches en deux grandes catégories : celles qui ont pour but de déclencher un réflexe d'agressivité chez le poisson, et celles qui se contentent d'imiter l'une de ses proies naturelles.

LES STREAMERS

Les streamers sont des mouches de grande taille, souvent montées avec des matériaux aux couleurs vives – orange, rose ou bleu électrique. Elles ont de longues queues et des têtes massives, parfois équipées d'yeux.

Un streamer imite un alevin, très tentant lorsque les bars sont en train de frayer et que les mâles chassent tout intrus. Ne pêchez jamais au streamer avec un bas de ligne fin, sinon vous ne pourrez éviter la casse lors même de la touche.

◀ LE MOINDRE DÉTAIL
La conception et la réalisation des streamers relèvent de l'art. Observez l'œil et la queue de ce modèle très réussi.

▲ PRIS !
Peut-être est-ce l'œil du streamer qui a provoqué une attaque aussi virulente de ce crapet ? En tout cas, il n'a pas hésité une seconde !

NYMPHES

Toutes les nymphes artificielles sont conçues pour imiter au plus près la nature. Elles peuvent ressembler aux différents types de larves d'insectes aquatiques, aux petits escargots ou aux gammares, bref à tous les invertébrés qui peuplent le fond des rivières. Même si la nymphe artificielle n'imite pas parfaitement l'une de ces proies, le pêcheur expérimenté saura l'animer pour la rendre attractive. Ce travail du leurre dans l'eau est largement aussi important que le montage lui-même. Assurément, la pêche en nymphe réclame beaucoup d'expérience, et on peut la considérer comme l'une des plus difficiles.

PHEASANT TAIL

NYMPHE MARABOUT

CHIRONOME

GAMMARE

▲ EXEMPLES DE NYMPHES
Ces quatre nymphes imitent des larves d'insectes aquatiques. Observez par exemple l'imitation de gammare : ne simule-t-elle pas une crevette d'eau douce ?

▶ ÇA Y EST !
Ce pêcheur a parfaitement travaillé sa nymphe et la truite s'est laissée leurrer à quelques mètres de la berge alors qu'elle suivait la mouche depuis plusieurs mètres. C'est lorsque celle-ci a commencé à remonter vers la surface qu'elle s'est décidée à l'attaquer.

▲ JUSTE DERRIÈRE
Quelle que soit la rivière, les truites ont l'habitude de suivre longuement une nymphe, à une dizaine de centimètres seulement, et de l'inspecter avec méfiance avant de s'en emparer. Dans l'eau claire, il est possible de voir que seule une truite sur dix attaque une nymphe pourtant bien présentée.

MOUCHES SÈCHES

Tout comme les nymphes, la majorité des mouches sèches sont conçues pour imiter la nature : un insecte adulte ou émergeant. L'exemple parfait est la mouche de mai dont il existe des modèles pour chaque étape de sa transformation, depuis l'état larvaire jusqu'à l'imago (insecte adulte).

On pêche généralement en lançant vers l'amont, en se plaçant en aval d'un poisson en train de gober. L'approche est beaucoup plus discrète et la mouche ne risque pas de draguer en surface. La précision du lancer est très importante, la mouche devant se présenter dans le cône de vision du poisson.

HAWTHORN   BLACK KLINKHAMMER   CHIRONOME EN POILS DE LIÈVRE

◀ TROIS MODÈLES DE MOUCHES SÈCHES
Les spécialistes qui réalisent ces mouches sèches allient des qualités d'entomologiste à des dons d'artiste.

▲ PRUDENTE
Dans une rivière claire comme celle-ci, une truite arc-en-ciel prendra toujours le temps d'inspecter une mouche, parfois de très près, avant de se décider à la gober… ou pas, car dans la plupart des cas la réponse est négative.

▲ VUES DE DESSOUS ▼
Ces deux mouches sèches ont été photographiées par-dessous, comme les voit le poisson.

▲ BIEN AU SEC
Avec ses grandes pattes, cette artificielle imite une tipule. Comme toutes les mouches sèches, elle reste en surface grâce à la tension superficielle.

MOUCHES NOYÉES

Les mouches noyées s'adressent aux rivières très rapides. Quelques modèles consistent simplement en un petit morceau de tinsel enroulé sur la hampe qui provoque des éclats de lumière ; d'autres, plus évolués, imitent des insectes aquatiques.

Il n'est pas rare de pêcher avec un train de deux ou trois mouches noyées sur la ligne qu'on lance vers l'aval et qu'on laisse ensuite dériver dans les veines de courant. Les touches sont généralement sèches, rapides… et faciles à manquer ! Exploitez en priorité toutes les poches d'eau calme en aval des rochers ou de branches noyées.

BUTCHER   INVICTA

PALMER

▲ TROIS MOUCHES NOYÉES
La butcher, comme beaucoup d'autres mouches noyées, est un modèle très ancien, conçu pour les petites rivières du Royaume-Uni.

▲ BOÎTE À MOUCHES NOYÉES
La boîte à mouches d'un pêcheur de rivière contient obligatoirement une bonne part de mouches noyées et de nymphes, y compris celles à tête plombée pour la pêche au plus profond.

◀ PÊCHE À LA MOUCHE NOYÉE
Ce pêcheur travaille sa mouche vers l'aval, exploitant la moindre poche d'eau où une truite peut se cacher.

LES APPÂTS NATURELS

Tous les pêcheurs recherchent l'appât que les poissons trouveront irrésistible. Heureusement, cet appât miracle n'existe pas ! Je dis bien heureusement, car où serait le plaisir de la pêche si on était sûr d'attraper un poisson à chaque lancer ?

Alors, choisissons nos appâts avec soin, mais réjouissons-nous de savoir que parfois il intéressera le poisson… et parfois pas.

PRODUITS D'AGRAINAGE

Les asticots, les casters (*voir ci-contre*) et le chènevis sont les principaux appâts qu'on peut lancer directement sur le coup, parfois en quantité, sans l'aide d'amorce à base de farines (c'est « l'agrainage »).

C'est dans les années soixante-dix, avec l'apparition du maïs doux, que cette technique d'amorçage s'est développée à travers toute l'Europe. Carpes, tanches, brèmes et, en règle générale, tous les Cyprinidés sont devenus friands de ces petites graines jaunes et sucrées déposées sur le fond. Compte tenu de la faible taille de ce type d'appât et des hameçons volumineux utilisés lorsqu'on recherche les plus gros spécimens, le montage le plus couramment utilisé est celui dit « au cheveu » (*voir page ci-contre, en haut*).

▲ MAÏS DOUX
Un tapis de maïs doux sur le fond d'un lac est irrésistible. La couleur et l'odeur attirent de loin carpes, tanches et brèmes. Lorsqu'on amorce au chènevis mais que l'on pêche au maïs, il est opportun de mélanger aux graines de chènevis une poignée de maïs doux pour que celui piqué à l'hameçon n'éveille pas la méfiance du poisson.

TECHNIQUES D'AMORÇAGE

Il n'est pas toujours aisé de jeter sur un coup, à distance, des appâts de petite taille et très légers. Une technique assez ludique répond à cette difficulté, le lancer à la fronde, qui dépasse néanmoins rarement les 20 à 30 m, même en mélangeant graines ou larves dans de l'amorce.

Il est aussi possible d'employer des feeders (amorçoirs) : ce sont des tubes (fermés ou pas aux extrémités) dans lesquels on place de l'amorce, des graines ou des asticots purs, et qui sont directement attachés sur le corps de ligne. Il est alors possible de les lancer jusqu'à près de 100 m.

D'autres techniques consistent à congeler les appâts sous forme de petites boulettes compactes ou d'utiliser des sacs solubles (attention toutefois de bien sécher les graines si vous ne voulez pas voir le sac se déchirer lors du lancer).

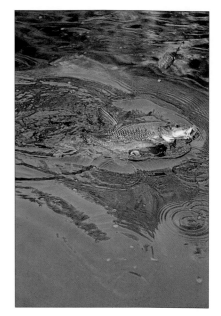

▲ BARBEAU AU FEEDER
Pas de doute, le feeder est efficace ! Ce barbeau a mordu à un hameçon esché de deux grains de maïs doux, mais il a été attiré par ceux déposés juste à côté du piège par le feeder.

◀ PETIT FEEDER
On utilise ce modèle avec une amorce à base de farines et de chapelure humidifiées puis amalgamées autour de l'axe central. Dissimulé dans cette boule, l'hameçon sera ainsi parfaitement placé lorsque l'amorce, une fois dissoute, formera un tapis sur le fond.

◀ FEEDER CAGE (AMORÇOIR GRILLAGÉ)
Ce type de feeder accepte un mélange d'amorce et d'asticots ou de casters. Comprimez le tout à l'intérieur du feeder cage. Une fois sur le fond, le mélange compact va se dissoudre et former un nuage fort attractif autour de l'hameçon.

◀ AVEC LA FRONDE
Cette photo montre une boule d'amorce lancée à la fronde après quelques minutes dans l'eau seulement. L'amorce forme alors un tapis d'où s'échappe régulièrement un nuage de petites particules attirant les poissons de très loin.

BOUILLETTES

Le nom de bouillette vient du mot anglais *boilie* désignant des petites billes d'amorce concentrée très riche en matières protéiques et cuites afin d'être les plus dures possible. Elles sont surtout destinées aux carpes, et nombre de poissons records ont été pris grâce à ce type d'appât. Les recettes de bouillettes sont nombreuses et chaque pêcheur a la sienne. La base (appelée « mix ») est souvent constituée de farine de soja, et l'ajout d'œufs est indispensable pour lier les différents ingrédients avant la cuisson. Colorants, arômes, édulcorants, stimulateurs d'appétit… la liste des produits qui peuvent entrer dans la composition des bouillettes est très longue. Beaucoup de pêcheurs consacrent l'hiver à préparer des bouillettes, avant de les congeler.

▶ LE PIÈGE EST POSÉ
Dans certains cas, il est bon de procéder à un amorçage préalable durant plusieurs jours afin d'habituer les carpes ou les tanches au goût des bouillettes, et leur faire perdre leur méfiance légendaire.

▶ MONTAGE AU CHEVEU
Voici le montage le plus populaire pour la pêche de la carpe. Il peut paraître surprenant que la carpe se fasse prendre à un appât qui n'est même pas piqué à l'hameçon, et pourtant !

▲ PROBLÈME… DISSOUS !
Ces bouillettes ont été déposées sur le coup à l'aide d'un sac soluble. Au milieu se trouve cachée la bouillette montée au cheveu, et le tout a été lancé à 80 m du bord. Dès qu'il a touché le fond, le sac a commencé à se dissoudre et, bientôt, il n'en restera pas la moindre trace.

ASTICOTS ET CASTERS

Ils sont utilisés en Europe depuis une bonne centaine d'années. Avant qu'ils ne soient disponibles chez les détaillants, les pêcheurs élevaient eux-mêmes leurs propres asticots, ou allaient les chercher dans les abattoirs ! Aucun poisson ne saurait refuser un asticot : même les carnassiers tels que les petits brochets se laissent parfois tenter. Ces appâts ont sans doute permis de gagner plus d'un concours.

▶ FEEDER FERMÉ
Ce type de feeder s'utilise avec des asticots. Avec les modèles les plus lourds, il est possible de pêcher jusqu'à près de 100 m. On peut les utiliser aussi bien en eau morte que courante. Dans les rivières, il faut jouer sur le poids du feeder en fonction de la vitesse du courant : plus il est rapide et plus le feeder doit être lourd.

▲ BAIT-DROPPER
Le bait-dropper consiste en une sorte de boîte fermée temporairement par une tige métallique et qui libère casters ou asticots dès qu'elle touche le fond.

◀ FOUILLE DE CARPE
Un tapis d'amorce ou d'appâts incite les poissons à la recherche de nourriture à plonger vers le fond pour goûter cette manne inespérée.

LES ACCESSOIRES

UNE QUANTITÉ DE PETITS ACCESSOIRES se révèlent indispensables. On peut les diviser en trois catégories : les accessoires d'observation, ceux pour chasser et, enfin, ceux pour relâcher le poisson. Cependant, n'oubliez jamais que le matériel n'est pas une fin en soi et que les meilleurs accessoires du monde ne feront jamais prendre du poisson à un mauvais pêcheur.

▲ DE BONS CRAMPONS
L'eau de la rivière m'arrive aux genoux et le courant est assez fort. Afin de pêcher en toute sécurité, les semelles de mes bottes sont équipées de crampons qui me garantissent une parfaite stabilité quelle que soit la nature du fond.

ACCESSOIRES D'OBSERVATION

TOUTE LA PHILOSOPHIE de ce livre tient en ceci : pour réussir à la pêche, il convient d'observer et de comprendre l'habitat du poisson. Il est parfois nécessaire de passer de longues heures au bord de l'eau, sans pêcher, en observant la surface à la recherche du moindre signe d'activité.

Un simple petit rond sur l'eau peut signifier qu'un poisson est venu juste sous la surface et s'est retourné pour regagner le fond. Quelques alevins qui sautent soudainement au ras d'un banc de roseaux, c'est souvent le signe qu'un prédateur rôde dans les parages. Le bruit caractéristique de la truite gobant en surface peut vous donner une indication sur le type d'insecte qui l'intéresse. Essayez de vous imprégner du milieu, de ne faire qu'un avec votre rivière ou votre lac, ayez tous les sens en éveil et vous serez étonné des nombreux indices que vous pourrez relever. Ensuite, il vous faudra réagir rapidement et convenablement à toutes ces indications. C'est là que les accessoires sont utiles : nous allons passer en revue tous ceux qui rendent ces heures passées au bord de l'eau vraiment productives.

◀ THERMOMÈTRE
Savoir si la température de l'eau est en train de monter ou de baisser est un atout non négligeable pour déterminer si les poissons se tiendront immobiles près du fond ou si, au contraire, ils se déplaceront entre deux eaux.

BOTTES ET CHAUSSURES

Lorsqu'il fait très froid, il est indispensable d'avoir des bottes ou des chaussures qui maintiennent les pieds au chaud, au risque d'interrompre une partie de pêche pourtant prometteuse. En revanche, en été, avez-vous vraiment besoin de bottes chaudes, lourdes, dans lesquelles vous risquez de transpirer toute la journée ? Des chaussures légères, ou des cuissardes amovibles ou escamotables sont sans doute plus recommandées. Si vous pêchez en waders ou en cuissardes, soyez prudent lorsque vous marchez dans une rivière ou un lac : ne vous aventurez pas dans des endroits où vous n'êtes pas sûr d'avoir pieds ou dont la nature vous est inconnue.

▲ UNE APPROCHE DISCRÈTE
Ce pêcheur accroupi s'approche doucement d'un étang où des carpes somnolent en surface, se réchauffant aux premiers rayons de soleil du printemps. Ses chaussures de sport légères n'émettent pas la moindre vibration au sol.

CROCHET
Un crochet permet d'attacher le haut des cuissardes à la ceinture et éviter ainsi qu'elles ne tombent sur les genoux.

▲ CUISSARDES
Utiles pour se frayer un chemin parmi les hautes herbes humides et pour pêcher dans l'eau, ces cuissardes amovibles peuvent se transformer en bottes.

CHAUSSURES DE MARCHE

CHAUSSURES DE MARCHE AVEC CRAMPONS

▲ CHAUSSURES DE MARCHE
Semelles en feutre et crampons qui se fixent sur les chaussures par des lanières vous assurent une excellente stabilité sur les surfaces glissantes.

LES JUMELLES

Les jumelles peuvent être utiles au pêcheur à tout moment, à commencer par le repérage des poissons. Les meilleurs pêcheurs n'attendent pas leur proie, mais vont au-devant d'elle.

À faible distance, les jumelles sont également un atout non négligeable : elles peuvent vous servir à identifier avec précision le type d'insecte en train d'éclore en masse au ras de la berge opposée et qui ne manquera pas d'intéresser les poissons. Vous surprendrez cette carpe que vous traquez depuis des heures avec un morceau de pain en surface, lorsqu'enfin elle se décidera à le gober.

▶ CE QUE VOUS VOYEZ
Un rond en surface peut être dû à la vase qui travaille : avec des jumelles, il est facile de le distinguer des bulles caractéristiques d'un poisson en train de fouiller le fond à la recherche de nourriture.

▼ À LA TOMBÉE
ET AU LEVER DU JOUR
Les jumelles captent plus de lumière que l'œil humain, et c'est à la tombée et au lever du jour qu'elles se révèlent indispensables, pour commencer plus tôt ou terminer un peu plus tard votre partie de pêche.

▶ LE BON CHOIX
Choisissez un modèle de jumelles légères, avec des lentilles de qualité pour une image la plus précise possible. Éventuellement, faites l'acquisition de jumelles qui flottent… On ne sait jamais !

LES REFLETS DU SOLEIL

Quelle que soit la saison, le pêcheur est confronté au problème des reflets du soleil à la surface de l'eau. Lorsque les rayons frappent cette surface à un certain angle, même des eaux limpides deviennent impénétrables. Pour limiter les effets de la réverbération, le pêcheur doit s'équiper d'un chapeau avec une bonne visière et d'une paire de lunettes aux verres polarisants.

◀ ELLES SONT ESSENTIELLES
Les lunettes à verres polarisants sont indispensables. Grâce à elles, le pêcheur n'est plus tributaire des reflets à la surface de l'eau. Ne cherchez pas à tout prix l'économie, et achetez le meilleur modèle… mais ne les oubliez pas sur la berge !

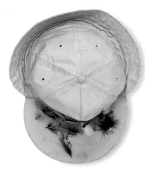

◀ CASQUETTE À VISIÈRE
Lorsque le soleil tape fort, une bonne casquette évite l'insolation et protège les yeux. Choisissez un modèle léger, aéré, ni trop serré ni trop coloré.

▲ AVEUGLÉ PAR LE SOLEIL
Avec un ciel bleu qui se reflète à la surface de l'eau, il vous est impossible de voir ce qui se passe dessous. Au lieu d'un brochet, vous risquez de n'apercevoir qu'un simple morceau de bois flottant en bordure.

▲ UNE VUE PARFAITE
Avec des lunettes à verres polarisants, tout devient beaucoup plus clair. Soudain, vous découvrez que ce morceau de bois est en réalité un brochet de 2 kg posté en zone peu profonde et prêt à fondre sur sa proie.

ACCESSOIRES DU PÊCHEUR-CHASSEUR

U<small>N COUP D'ŒIL</small> sur un catalogue de vente par correspondance vous donne une idée du nombre extraordinaire d'accessoires destinés aux pêcheurs. Certains sont indispensables, d'autres utiles, et quelques-uns destinés à attraper le pêcheur plutôt que le poisson ! Cependant, une certaine quantité de matériel reste nécessaire pour faire face à toutes les situations.

Dans tous les cas, choisissez la meilleure qualité. Une durée d'usage beaucoup plus longue, au bout du compte, représente une économie. De plus, votre matériel ne vous laissera pas tomber lorsque vous aurez la chance de ferrer le poisson de votre vie ! Voyons les quelques accessoires dont je ne pourrais absolument jamais me passer.

VÊTEMENTS DE SAISON

N'oubliez pas que si vous portez une tenue inconfortable, vous ne parviendrez jamais à vous concentrer sur ce que vous avez à faire, c'est-à-dire pêcher. Cela peut paraître évident, mais beaucoup semblent ignorer que si l'on a froid en hiver ou chaud en été, on ne pêche pas aussi bien qu'on le devrait. Même en été, une tenue imperméable est bien utile : les orages sont parfois violents… et imprévisibles !

CHAUDE DOUBLURE
Les doublures modernes assurent un confort constant au pêcheur quelles que soient la température et les conditions météo.

▶ G<small>ILET D'ÉTÉ</small>
Un gilet de qualité est doté de nombreuses poches pour transporter le petit matériel indispensable (hameçons, dégorgeoir, plombs, flotteurs, boîtes de mouches…).

▲ C<small>OMBINAISON HIVERNALE</small>
Avec la grande variété de tissus disponibles aujourd'hui, il est possible de se protéger efficacement contre les froids les plus intenses. Lorsque j'étais jeune, nous ne disposions que d'anoraks en Nylon et de bottes en caoutchouc… C'était une autre époque !

PÊCHE DANS LES GRANDES ÉTENDUES D'EAU

Dans les grands lacs et les fleuves, les déplacements en bateau, d'un poste à l'autre, sont incessants. Un échosondeur se révélera vite un auxiliaire incomparable (interdit en France cependant). Cet appareil très précis mesure en quelques secondes la profondeur et localise les différents obstacles immergés. Les modèles les plus sophistiqués permettent même de situer des poissons solitaires.

▲ U<small>N ÉQUIPEMENT MODERNE</small>
Rien de plus agréable que de pêcher avec efficacité. Le bateau est stable, le moteur vrombit, les leurres nagent à la perfection et l'échosondeur vous guide vers le succès…

▲ P<small>ARFAITEMENT ÉQUIPÉ</small>
Ces waders bénéficient des matériaux les plus modernes, alliant souplesse et imperméabilité. Vous parcourrez des kilomètres avec une sensation de confort et sans problème de transpiration.

◀ À <small>LA POURSUITE DE LA STEELHEAD</small>
Pour explorer les grandes rivières où vit la steelhead, un bateau à fond plat et un moteur puissant sont absolument indispensables.

LES COFFRETS DE PÊCHE

Le commerce propose des centaines de sacs et de coffrets différents pour ranger son matériel. Cependant, il convient de tenir compte de quelques petits détails avant d'opter pour l'un ou l'autre modèle.

Tout d'abord, choisissez un coffret solide qui durera toute votre vie. Si vous êtes un pêcheur de compétition, par exemple, votre choix doit se porter sur un modèle avec un caisson suffisamment grand pour ranger tout votre matériel, et un coussin pour rester assis confortablement plusieurs heures durant.

En revanche, un pêcheur actif et mobile optera pour un sac en bandoulière. Celui-ci devra être léger et souple, afin de ne pas vous handicaper lorsque vous sauterez de rocher en rocher.

Dans tous les cas, relevez les aspects pratiques dans la conception de votre sac, car certaines situations ne souffrent aucune perte de temps.

▲ GRAND OU PETIT ?
En règle générale, mieux vaut prévoir trop grand que trop petit : rien n'est plus désagréable que de laisser du matériel à la maison faute de place. Un panier en osier comme celui-ci durera toute une vie.

▶ SAC EN BANDOULIÈRE
Ce type de sac peut vous suivre n'importe où. Il est solide, relativement imperméable et possède plusieurs compartiments qui permettent de ne pas mélanger le matériel. Certains ont même un sac imperméable amovible destiné à recevoir le poisson.

▲ BOÎTE À FLOTTEURS
Pour conserver vos flotteurs en parfait état, placez-les dans une boîte rigide. Les meilleurs flotteurs, surtout ceux faits à la main, sont onéreux, alors protégez-les !

LA CHAMBRE À AIR

La chambre à air donne au pêcheur sportif une grande mobilité et lui permet d'aller rechercher truites ou bass dans des zones très peu profondes où ils se sentent en sécurité.

Cependant, restez prudent lorsque vous utilisez une bouée, en particulier si vous n'êtes pas rodé à ce type de déplacement. Ne vous aventurez pas en rivière et évitez les jours de grand vent. Prenez garde aux rochers ou autres obstacles immergés, et prévoyez toujours un endroit où vous pourrez aborder aisément en cas de problème.

DÉMARRAGE
Entrez dans l'eau dans une zone peu profonde en marchant à reculons et contre le vent. De cette façon, en cas de problème, le vent vous ramènera vers la rive.

TECHNIQUE DE PÊCHE
Laissez le vent emporter votre ligne à la surface en direction des poissons.

DIRECTION
DU VENT

▼ LA MOBILITÉ EN CHAMBRE À AIR
En dérivant sur une grande distance, vous explorerez plusieurs postes. Utilisez une épuisette à manche court pour maîtriser les poissons. Si le ciel devient menaçant, revenez vers la berge.

POISSONS EN ACTIVITÉ
En été, les bass et les truites se tiennent dans les zones peu profondes : mouches ou leurres peu plongeants sont les plus efficaces.

◀ DÉPLACEMENT
Pour manœuvrer la chambre à air, vous utiliserez des palmes. Entraînez-vous au préalable dans un endroit calme et peu profond.

CHAUD ET SOUPLE
Revêtez un pantalon en Néoprène : c'est le matériau idéal en eaux froides.

POLYVALENT
Le pêcheur en chambre à air peut aller dans n'importe quelle direction une fois qu'il a repéré des poissons.

CHOIX DE LA SOIE
Une soie neutre ou peu plongeante limite le risque de dragage en surface lié à la soie flottante.

DIRECTION
DU COURANT

ACCESSOIRES POUR RELÂCHER LE POISSON

LA CONSERVATION DES ESPÈCES est une préoccupation qui n'épargne pas le monde de la pêche. De plus en plus, les pêcheurs comprennent que les poissons n'existent pas seulement pour notre bon plaisir. Cette nouvelle attitude résulte d'une prise de conscience des dangers qui menacent les populations de poissons en de nombreux endroits de la planète. Il faut les protéger, dans leur intérêt et le nôtre.

Le respect du poisson nous rend aussi meilleurs pêcheurs. Le brochet, si brutal lorsqu'il attaque sa proie, se révèle fragile lorsqu'on le sort de l'eau. Que ressentirions-nous si on nous plongeait la tête sous l'eau sans tuba ? À l'évidence, pour le poisson, la prise n'est pas aussi excitante que pour le pêcheur. Relâchons-le donc aussi vite que possible en lui concédant les meilleures chances de survie.

HAMEÇONS ET DÉCROCHAGE

Depuis des dizaines d'années, les pêcheurs se demandent s'il faut utiliser des hameçons avec ou sans ardillon. En fait, en avons-nous vraiment besoin ? Si l'on garde la ligne tendue, l'hameçon risque peu de sortir de la bouche du poisson. En revanche, lorsque vient le moment de le décrocher pour le relâcher, il n'y a aucune comparaison : l'hameçon sans ardillon se dégage beaucoup plus facilement et ne blesse pas le poisson.

Il faut aussi se pencher sur le cas des hameçons triples sur les leurres. Les gros modèles blessent souvent les carnassiers, en particulier ceux qui ne sont pas piqués dans la bouche du poisson et qui peuvent s'accrocher dans son œil lors de la bagarre. Par conséquent, n'utilisez les hameçons triples qu'en cas de réelle nécessité.

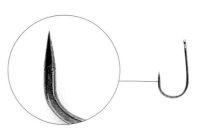

▲ HAMEÇON SANS ARDILLON
On trouve désormais dans le commerce des hameçons sans ardillon de toutes les tailles et de toutes les formes. Au bord de l'eau, vous pouvez aussi simplement écraser l'ardillon d'un hameçon normal à l'aide d'une pince : l'effet est le même.

▼ DÉCROCHER UN POISSON
Évitez de sortir le poisson de l'eau. Amenez-le dans une zone peu profonde, afin qu'il ait de l'eau tout autour de lui. Ne le serrez pas trop fort, sinon vous risquez d'abîmer l'un de ses organes vitaux. Utilisez ensuite une pince pour décrocher l'hameçon et, une fois l'opération réalisée, relâchez le poisson en le maintenant face au courant.

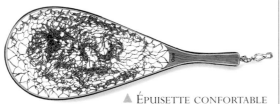

▲ ÉPUISETTE CONFORTABLE
L'épuisette doit posséder un filet souple. Les nœuds entre les mailles sont autant de pointes qui abîment l'épiderme des poissons. Mais avez-vous toujours besoin d'une épuisette ? Peut-être pouvez-vous amener le poisson en eau peu profonde et le décrocher sans le sortir de l'eau.

▲ MANIPULÉ AVEC PRÉCAUTION
Si vous voulez poser votre prise quelque part hors de l'eau, choisissez plutôt un support naturel comme cette feuille de nénuphar. Sa surface flexible et son humidité naturelle sont beaucoup plus confortables pour le poisson que de l'herbe sèche, du sable ou des graviers.

▶ PINCES
Les pinces pour décrocher les carnassiers sont plus longues et plus puissantes que pour les autres poissons. Une simple petite pince chirurgicale est suffisante pour retirer l'hameçon de la bouche d'une carpe ou d'une truite. Ne partez jamais à la pêche sans vos pinces !

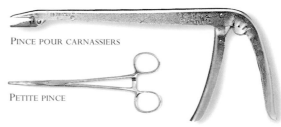

PINCE POUR CARNASSIERS

PETITE PINCE

PHOTOGRAPHIER SA PRISE

Par le passé, tous les poissons pris étaient mangés. Puis la pêche est devenue un sport, un plaisir plutôt qu'une chasse, et les gros poissons ont été confiés à des taxidermistes. De nos jours, nous pouvons nous contenter de photographier nos plus belles émotions de pêcheur.

Avant de sortir le poisson de l'eau et de prendre votre photo, assurez-vous que tout est prêt. Ne vous précipitez pas, réfléchissez bien à l'endroit où vous allez poser ou tenir le poisson. Si c'est un record, placez un objet qui permettra de se rendre compte avec précision de sa taille exacte. Réglez vitesse et focale avant la prise de vue. Mieux, un système autofocus réduira le temps de mise au point. Tenez le poisson avec des mains mouillées ou déposez-le sur des herbes humides.

Un moteur est utile parce qu'il contribue à réduire la durée de vos séances photos, dans l'intérêt du poisson.

Enfin, un filtre polarisant ne sera pas superflu si vous photographiez un poisson juste sous la surface de l'eau.

▲ PRÈS DE L'EAU
Lorsque vous photographiez votre poisson, tenez-le dans ou près de l'eau, au cas où il vous échapperait des mains. S'il tombe sur le sable ou les graviers, il peut se blesser gravement.

▶ DANS L'EAU
Les plus belles photos montrent les poissons dans leur propre environnement. Cependant, ce sont des clichés difficiles à réaliser et il ne faut pas oublier que l'eau altère les couleurs naturelles du poisson.

VITESSE
Choisissez toujours votre vitesse avec attention : elle doit être rapide lorsque la lumière est faible, lente les jours ensoleillés.

▲ UN BON APPAREIL
Les pêcheurs qui souhaitent vraiment réaliser de beaux clichés de leurs prises choisiront un modèle solide et de marque qui leur permettra de prendre des photos de qualité quelles que soient les conditions météo.

▲ MIEUX VAUT MESURER QUE PESER
De préférence, mesurez votre prise, à l'aide d'un mètre de couturière déroulé le long de son corps. C'est moins stressant et moins long qu'une pesée.

▶ LE BON MOMENT POUR LE MESURER
Le meilleur moment pour mesurer un poisson, c'est lorsqu'il est maintenu en eau peu profonde. Le résultat est toujours proche de la réalité.

MESURÉ ET RELÂCHÉ

Peser et mesurer un poisson record en tous sens est un travail fastidieux et stressant pour l'animal. Certes, c'est indispensable pour valider la prise d'un poisson exceptionnel, mais avons-nous vraiment besoin de peser et mesurer les prises de taille modeste ?

En Angleterre, le poids reste la référence en matière de record, mais on est alors obligé de placer le poisson dans un sac ou un filet. Dans d'autres pays, c'est la longueur qui importe. C'est à mon avis une bien meilleure solution, car elle est beaucoup plus rapide et les risques de blesser le poisson sont faibles. Si cela vous est possible, mesurez le poisson dans une zone peu profonde sans le sortir de l'eau. Plantez un bâton dans la vase ou le sable au niveau de sa queue et un autre à la pointe du museau : il vous suffit ensuite de mesurer l'écartement entre les deux bâtons pour connaître la longueur de votre prise.

INDEX

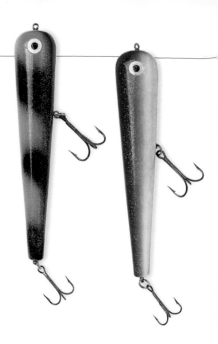

REMERCIEMENTS

REMERCIEMENTS DE L'AUTEUR

JE VOUDRAIS ADRESSER MES PLUS CHALEUREUX REMERCIEMENTS AUX PERSONNES SUIVANTES :

Sylvia Hollingworth pour avoir saisi mes manuscrits aussi parfaitement, malgré des délais parfois très courts.

Johnny Jensen, Simon Channing, Nick Giles, et Michael Reiter pour leur aide en matière de photos, leurs conseils avisés et leur soutien sans faille.

Jim et Shirley Deterding, Tom Cook, Pauline Harrold, et Michael Taylor pour leurs photos de lieux de pêche.

Peter et Catherine Smith du manoir Caer Berris au pays de Galles, pour la mise à disposition de leur plan d'eau, leur merveilleuse hospitalité et leur aide malgré les difficultés.

Petr, Radim, Franta, pour leur aide sur les lieux de pêche les plus exotiques.

À tous ceux qui nous ont fourni du matériel pour nos séances photos, en particulier toutes les personnes de Sportfich pour leur aide et leurs conseils précieux : Richard Carter pour ses flotteurs, moulinets… ; Chris et Sue, de la compagnie Harris Angling, qui m'ont apporté une grande aide en matière de pêche aux leurres ; Gary et Peter de la Drennan International ; et qu'aurais-je fait sans l'aide de Craig Brew de Shimano ?

Tous ceux de la société John Partridge et de Musto – sans leurs vêtements, je suis sûr que j'aurais péri sur quelque berge lointaine !

Steve Knowlven et Ian Whitelow, qui ont été une constante source d'inspiration et m'ont permis de démarrer cet ouvrage ; Ian, en particulier, qui s'est révélé un pêcheur de grand talent, tout autant qu'un ami formidable.

Kevin et Edward, qui ont pris la relève lorsque Ian et Steve sont partis.

Les milliers de pêcheurs avec lesquels j'ai pêché depuis plus de vingt ans et tous ceux qui m'ont conseillé, aidé, et dont je n'oublierai jamais l'amitié.

Enfin, pour terminer, laissez-moi remercier ma femme, qui s'est assise stoïquement à côté de moi lorsque j'étais à la pêche, dans des pays parfois très lointains et au climat pas toujours favorable… sans jamais montrer le moindre signe de mauvaise humeur !

REMERCIEMENTS DES ÉDITEURS

Les éditeurs tiennent à remercier les centres ci-dessous pour leur avoir permis de photographier les poissons :

NATIONAL SEA LIFE CENTRE, BIRMINGHAM : Graham Smith et Sally Reynolds.
SEA LIFE CENTRE, GT YARMOUTH : Mitchel Hird.
CHALK SPRINGS, ARUNDEL : Jonathan Glover.

CRÉDITS PHOTOGRAPHIQUES

Les éditeurs remercient toutes les personnes et agences ci-dessous pour les avoir autorisés à publier les photographies :

ad = au-dessus, b = en bas, c = au centre, d = à droite, g = à gauche, h = en haut
Gillian Andrews 57bd, 64bd. **Animals, Animals** E R Degginger 18cdad. **Ardea** 177bc.
John Bailey 11bd, 12b, 15h, 23bd, 23bd et bc, 26bg, 31h et c, 34bd, 39bd, 42c et bd, 45cdad, 48cgb, 49cgb, 53 bd et bg, 62cb, 64bd et cd, 70bd et cd, 71cd, 72cdad, 73cdb, 74cgad et cgb, 75bd, hc et bd, 76 cd et bg, 77hc, 84hc, 88bd, 94bd et bd, 99 (toutes), 100 bd et c, 101 cd, 104cgb, bd et cd, 105 (toutes), 106bd et c, 107hc et cgb, 108 cg, 109 cgb, 111bg, 112 hc et cd, 114bd, 115cd et hc, 116c, 118 (toutes), 119 bd, c, bc et bd, 121hg, bd, bg, cg et bd, 122bd et bc, 124-125 (toutes), 128c, 130cg et cdb, 132bd, 133bd, cg, c, cb et cd, 134bd, 140bd, 144 (toutes), 145c, 147bd, 148bd, 149cg, 150bd, cdb et bc, 151c, 152cgb, 154bd, 156cd, 160cg et bd, 161bd, 163cdad, 171cb, 172c, 178bd, 180bc, 182, 183bc, 184hc et bg.
Richard T Bryant 46bd et bg, 55bd et cad, 83bd, 114c, 117bc, 145cd, 158cd, 159bd, cg

et cb. **Simon Channing** 56bd, 57bd, cg, cd, et bg et 65cdad, bd et cgb, 68-69 (toutes). **Bruce Coleman** Jeff Foot 86-87, 93bg ; Johnny Jensen 93cd ; Hans Reinhard 139c. **Kevin Cullimore** 8-9, 11bd, 16bd et bc, 20cd, 23hg, 34bg, 43bd et cd, 48c, 62bd, 83cb, 107cd, 109bd, 129 (toutes), 179bc. **E R Degginger** 164bd. **Getty Images** Larry Goldstein 13bg ; Bob Herger 38-39h ; Peter Stef Lamberti 37bd. **Nick Giles** 89cgad, 122bd, 123ch, 157cgad, 187cd. **Heinz Jagusch** 17bd, 25bd, 44, 122c, 126-127, 140bg, 141bg et bd, 146bd, 147c, 164bg, 169bc. **JPH Foto** Erwin et Peggy Bauer 45cd ; E Bauer-adi 172bd ; Johnny Jensen 18cb, 46c, 48bc, 52h et bd, 58bd et cgb, 59cg et hc, 60bd et cgb, 61bd et cb, 62cgb, 73bg, 80cg, cb et bc, 81bd et cg, 85c, bc et cdb, 90cdad et bd, 91cdad et bd, 94bg, 110, 112bd, 113, 116cgb, 117cg, 120cgb et bg, 121bc, 123bg, 130bd, 131hc, bg et bd, 137 (toutes), 146bd, 147hg, 150bg, 151bd et bd, 154bd, bd et cd, 155 (toutes), 164bc et cd, 165 (toutes), 168bg, 169bd, 170bd, 171bd, 172bg, 173bg, 175bg et bd ; Doug Stamm 40-41, 176bg, 185, 186bg.
Natural History Photographic Agency Agence Nature 55bg ; G I Bernard 89cd ; Daniel Buclin 139bc ; Robert Erwin 20bg ; T Kitchen et V Hurst 93bd, 101cg, 130bc, 158c ; Stephen Krasemann 92bd ; Mike Lane 131cd ; Lutra 115bd ; Peter Pickford 24bd et 59bd ; Kevin Schafer 92c ; G E Schmida 56c ; Hellio and van Ingen 19t. **Oxford Scientific Films** Doug Allen 73bd ; Jack Dermid 71bd ; John Downer 131cgb ; Max Gibbs 158cgb, 159cd ; Andreas Hartl 18bd ; Philippe Henry 66cgb ; Roger Jackman 138cd ; Tom Leach 82c ; R Leszczynski 54bd ; Colin Milkins 18bd, 128bg, 157cdb ; Peter Parks 26bd ; Wendy Shattil et Bob Rozinski 65c. **Pictor International** 28-29, 45h, 47, 90bg, 142-143, 144 (toutes), 145cb. **Planet Earth Pictures** Richard Cottle 88c ; Geoff du Feu 148c ; D Robert Franz 92cgb ; Nick Greaves 145bd, 77c ; Martin King 34bd, 71hc ; Ken Lucas 73c, 115cg ; Mark Mattock 132bd ; Linda Pitkin 12bd ; Mike Read 82bd ; G van Ryckevorsel 2-3, 27b, 72bd, 89bd, 97hg, 98b, 119bg ; Tom Walker 21b, 93bd ; A Zvoznikov 72cad. **Studio Schmidt-Luchs** 56b, 111bd, 116cdad, 123cad et cdb, 138h. **TCL Stock Directory** D Norton 36-37. **Telegraph Colour Library** 90cg. John Wilson 146bg, 160bd, 183cdb.

REPORTAGE PHOTOGRAPHIQUE

PREMIER PHOTOGRAPHE : Steve Gorton
PHOTOGRAPHIES SUBAQUATIQUES : Kevin Cullimore 1, 6, 13hc, bd et bd, 15bd, 19bc, 21bd, 22bd, 25h, 27bd, 46hc, hg et bc, 48bd, 49hc, bd et bg, 50cg, 54cgad, cgb et bc, 55cg et c, 56hc et bd, 58cb, 59c et bd, 61cd et bd, 63bg, bc et bd, 66cd et bd, 67 (toutes), 78bd, 80bd, cd et bd, 83c et cd, 84bd, 97c, 102bg, 103bd, bg, bc et bd, 108bd, 109bc, 140hc, 149hc, cdad et cdb, 152bd, 153bc, 156bd, 158bd, 162cg, 163c, bc et bd, 167cgb, 173bd, 174c, cad, bd et cd, 175bd, 176cg, bd et bd, 177bd et cd, 178bd, c et bc, 179ch, cdad et cd, 192.
AUTRES PHOTOGRAPHES : Ashley Straw 15c, 22b, 33hg, 102cd et bd, 103hg, 177hc et cd ; David Rudkin 24b, 181c et cd ; ainsi que Peter Gathercole, Dave King, Colin Keates, Philip Gatward.

ILLUSTRATEURS

DIAGRAMMES : David Ashby 136 ; Carl Ellis 16, 17bg, 50bg, 52bc, 53bd, 58bd, 61cg, 69hc, 71bd, 81b, 84bd, 95bd, 116bd, 117bh, 139bd, 162cd, 184bg et bd.
POISSONS : Colin Newman 17cd, 43cd, 45b, 55hc, 56cg, 62bd, 76bc, 77bd, 82c, 83hc, 88bg, 90hc et c, 91hc et c, 92bc, 100bg, 101hc, 107cad et cb, 114bg, 115cg, 119hc, 123bd, 129cd, 145cd, 148c.
MOTIFS : Caroline Church 3, 7, etc.
CARTES : Stephen Conlin 50,78, 96-97, 98, 102, 120, 124, 134, 136, 152, 160.
SCÈNES : John Barber 31, 32-33, 35, 36-37, 38-39.
JAQUETTE : Jo Houghton.